소방설비 기사 필기

소방원론

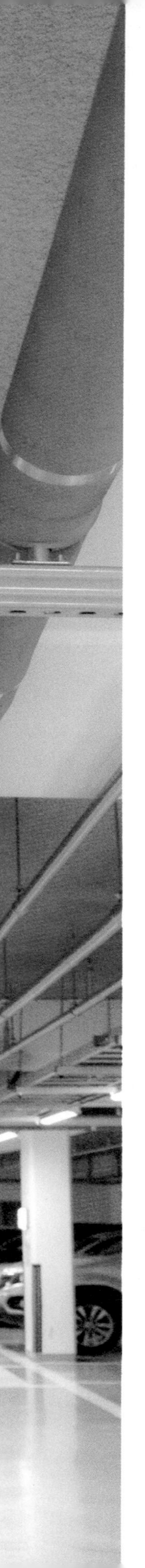

PREFACE

머리글

본 교재는 소방설비기사 자격증 취득을 위한 1차 필기시험 대비 수험서로서 기본이론과 중요이론 그리고 5년 동안에 출제된 기사 과년도 문제를 쉽고 빠르게 자격증 취득을 돕기 위해 모두 장별로 분류하고 수록하였으며 이에 해설과 풀이를 통해 본 교재를 가지고 공부하시는 분들이 다른 유형의 문제도 풀 수 있도록 하였습니다.

현재 기출문제는 예전과 달리 동일한 문제가 반복적으로 출제되는 게 아니라 조금씩 변화를 주며 출제되고 있는 상황이라 이에 맞게 내용에 충실하게 교재를 준비하였습니다.

본 교재는 중요부분의 이론은 내용설명을 충실히 하였고, 가끔 출제는 되나 그 내용이 중요하지 않은 부분은 간단하게 암기할 수 있도록 만들었습니다.

끝으로 본 교재로 필기시험을 준비하시는 수험생 여러분들에게 깊은 감사를 드리며 전원 합격하시기를 기원하겠습니다.

오 · 탈자 및 오답이 발견될 경우 연락을 주시면 수정하여 보다 나은 수험서가 되도록 노력하겠습니다.

편저자 씀

소방설비기사

개 요

건물이 점차 대형화, 고층화, 밀집화 되어감에 따라 화재 발생 시 진화보다는 화재의 예방과 초기진압에 중점을 둠으로써 국민의 생명, 신체 및 재산을 보호하는 방법이 더 효과적인 방법이다. 이에 따라 소방설비에 대한 전문인력을 양성하기 위하여 자격제도를 제정하게 되었다.

진로 및 전망

산업구조의 대형화 및 다양화로 소방대상물(건축물 · 시설물)이 고층 · 심층화되고, 고압가스나 위험물을 이용한 에너지 소비량의 증가 등으로 재해 발생 위험요소가 많아지면서 소방과 관련한 인력수요가 늘고 있다. 소방설비 관련 주요 업무 중 하나인 화재관련 건수와 그로 인한 재산피해액도 당연히 증가할 수밖에 없어 소방관련 인력에 대한 수요는 증가할 것으로 전망된다. 소방공사, 대한주택공사, 전기공사 등 정부투자기관, 각종 건설회사, 소방전문업체 및 학계, 연구소 등으로 진출할 수 있다.

시험일정

구 분	필기원서접수 (인터넷)	필기시험	필기합격 (예정자)발표	실기원서접수	실기시험	최종 합격자 발표
제1회	1.24~1.27	3.5	3.23	4.4~4.7	5.7~5.20	6.17
제2회	3.28~3.31	4.24	5.18	6.20~6.23	7.24~8.5	9.2
제4회	8.16~8.19	9.14~10.3	10.13	10.25~10.28	11.19~12.2	12.30

※ 상기 시험일정은 시행처의 사정에 따라 변경될 수 있으니, www.q-net.or.kr에서 확인하시기 바랍니다.

시험요강

❶ 시행처 : 한국산업인력공단(www.q-net.or.kr)

❷ 관련 학과 : 대학 및 전문대학의 소방학, 건축설비공학, 기계설비학, 가스냉동학, 공조냉동학 관련 학과

❸ 시험과목

㉠ 필기 : 소방원론, 소방유체역학, 소방관계법규, 소방기계시설의 구조 및 원리

㉡ 실기 : 소방기계시설 설계 및 시공실무

❹ 검정방법

㉠ 필기 : 객관식 4지 택일형 과목당 20문항(과목당 30분)

㉡ 실기 : 필답형(3시간)

❺ 합격기준

㉠ 필기 : 100점을 만점으로 하여 과목당 40점 이상, 전과목 평균 60점 이상

㉡ 실기 : 100점을 만점으로 하여 60점 이상

출제기준

필기과목명	주요항목	세부항목	세세항목
소방원론	연소이론	연소 및 연소현상	• 연소의 원리와 성상 • 연소생성물과 특성 • 열 및 연기의 유동의 특성 • 열에너지원과 특성 • 연소물질의 성상 • LPG, LNG의 성상과 특성
	화재현상	화재 및 화재현상	• 화재의 정의, 화재의 원인과 영향 • 화재의 종류, 유형 및 특성 • 화재 진행의 제요소와 과정
		건축물의 화재현상	• 건축물의 종류 및 화재현상 • 건축물의 내화성상 • 건축구조와 건축내장재의 연소 특성 • 방화구획 • 피난공간 및 동선계획 • 연기확산과 대책
	위험물	위험물안전관리	• 위험물의 종류 및 성상 • 위험물의 연소특성 • 위험물의 방호계획
	소방안전	소방안전관리	• 가연물 · 위험물의 안전관리 • 화재 시 소방 및 피난계획 • 소방시설물의 관리유지 • 소방안전관리계획 • 소방시설물 관리
		소화론	• 소화원리 및 방식 • 소화부산물의 특성과 영향 • 소화설비의 작동원리 및 점검
		소화약제	• 소화약제이론 • 소화약제 종류와 특성 및 적응성 • 약제유지관리

이 책의 구성과 특징

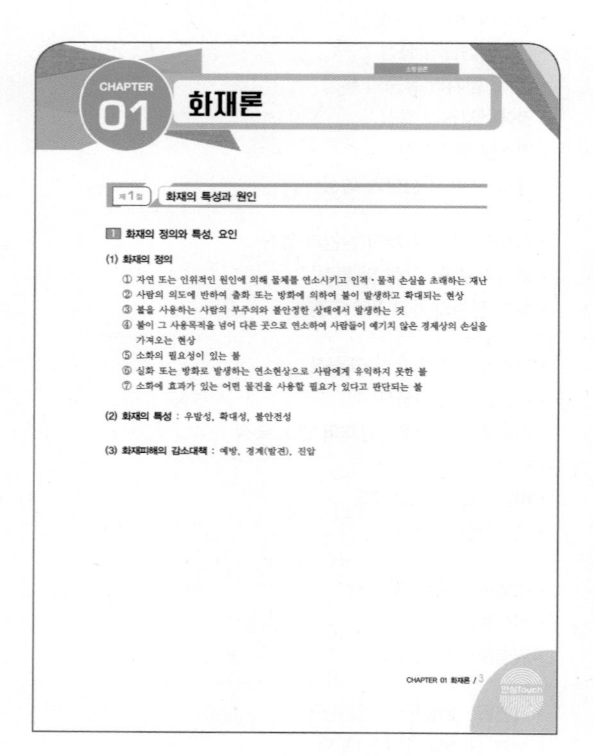

소방원론

CHAPTER 01 화재론

제1절 화재의 특성과 원인

1 화재의 정의와 특성, 요인

(1) 화재의 정의

① 자연 또는 인위적인 원인에 의해 물체를 연소시키고 인적·물적 손실을 초래하는 재난
② 사람의 의도에 반하여 출화 또는 방화에 의하여 불이 발생하고 확대되는 현상
③ 불을 사용하는 사람의 부주의와 불안정한 상태에서 발생하는 것
④ 불이 그 사용목적을 넘어 다른 곳으로 연소하여 사람들이 예기치 않은 경제상의 손실을 가져오는 현상
⑤ 소화의 필요성이 있는 불
⑥ 실화 또는 방화로 발생하는 연소현상으로 사람에게 유익하지 못한 불
⑦ 소화에 효과가 있는 어떤 물건을 사용할 필요가 있다고 판단되는 불

(2) 화재의 특성 : 우발성, 확대성, 불안전성

(3) 화재피해의 감소대책 : 예방, 경계(발견), 진압

CHAPTER 01 화재론 / 3

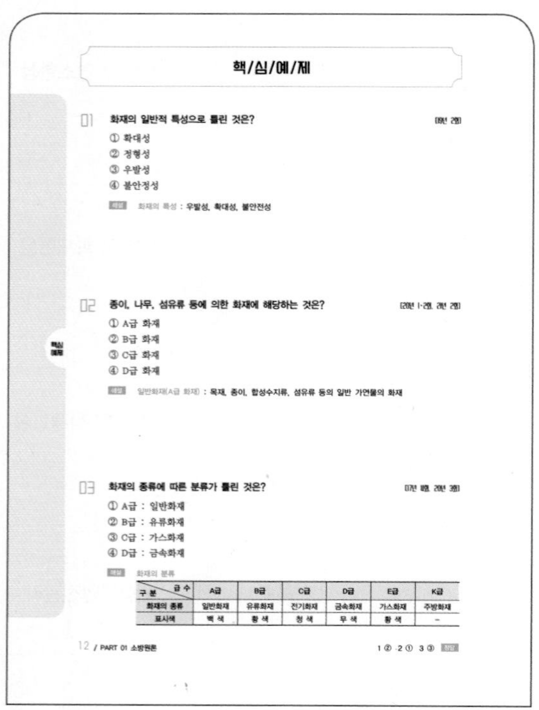

핵/심/예/제

01 화재의 일반적 특성으로 틀린 것은? [19년 2회]
① 확대성
② 정형성
③ 우발성
④ 불안정성

해설 화재의 특성 : 우발성, 확대성, 불안전성

02 종이, 나무, 섬유류 등에 의한 화재에 해당하는 것은? [20년 1·2회, 21년 2회]
① A급 화재
② B급 화재
③ C급 화재
④ D급 화재

해설 일반화재(A급 화재) : 목재, 종이, 합성수지류, 섬유류 등의 일반 가연물의 화재

03 화재의 종류에 따른 분류가 틀린 것은? [17년 1회, 20년 3회]
① A급 : 일반화재
② B급 : 유류화재
③ C급 : 가스화재
④ D급 : 금속화재

해설 화재의 분류

구분 \ 급수	A급	B급	C급	D급	E급	K급
화재의 종류	일반화재	유류화재	전기화재	금속화재	가스화재	주방화재
표시색	백 색	황 색	청 색	무 색	황 색	-

12 / PART 01 소방원론

1 ② 2 ① 3 ③ 정답

핵심이론

필수적으로 학습해야 하는 중요한 이론들을 각 과목별로 분류하여 수록하였습니다. 두꺼운 기본서의 복잡한 이론은 이제 그만! 시험에 꼭 나오는 이론을 중심으로 효과적으로 공부하십시오.

핵심예제

기출문제들의 키워드를 철저하게 분석하여 한눈에 출제이론을 파악할 수 있도록 하였고 자주 출제되는 문제를 추려낸 뒤 핵심예제로 수록하여 반복학습을 유도하였습니다.

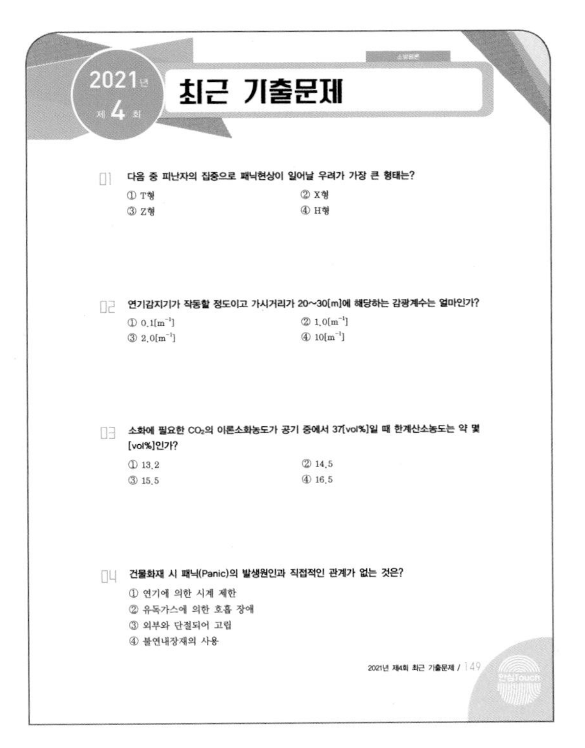

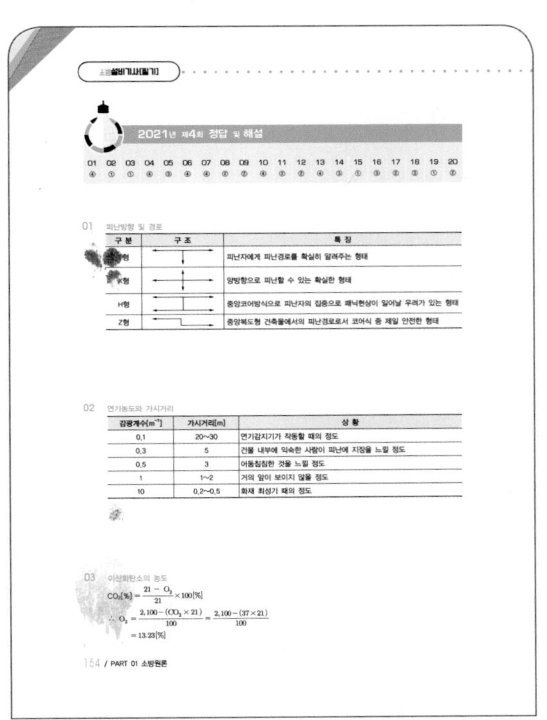

최근 기출문제

최근에 출제된 기출문제를 수록하여 가장 최신의 출제경향을 파악하고 새롭게 출제된 문제의 유형을 파악하여 합격에 한 걸음 더 가까이 다가갈 수 있도록 구성하였습니다.

정답 및 해설

가장 최근에 시행된 기출문제의 명쾌하고 상세한 해설을 수록하여 놓친 부분을 다시 한 번 확인할 수 있도록 하였습니다.

목 차

Engineer Fire
Protection System

소방설비기사(필기) 기본서 시리즈

소방원론

Engineer Fire
Protection System

소방설비기사(필기) 기본서 시리즈

소방원론

CHAPTER 01 화재론

제 1 절 화재의 특성과 원인

1 화재의 정의와 특성, 요인

(1) 화재의 정의

① 자연 또는 인위적인 원인에 의해 물체를 연소시키고 인적·물적 손실을 초래하는 재난
② 사람의 의도에 반하여 출화 또는 방화에 의하여 불이 발생하고 확대되는 현상
③ 불을 사용하는 사람의 부주의와 불안정한 상태에서 발생하는 것
④ 불이 그 사용목적을 넘어 다른 곳으로 연소하여 사람들이 예기치 않은 경제상의 손실을 가져오는 현상
⑤ 소화의 필요성이 있는 불
⑥ 실화 또는 방화로 발생하는 연소현상으로 사람에게 유익하지 못한 불
⑦ 소화에 효과가 있는 어떤 물건을 사용할 필요가 있다고 판단되는 불

(2) 화재의 특성 : 우발성, 확대성, 불안전성

(3) 화재피해의 감소대책 : 예방, 경계(발견), 진압

2 화재의 종류

구 분 \ 급 수	A급	B급	C급	D급	E급	K급
화재의 종류	일반화재	유류화재	전기화재	금속화재	가스화재	주방화재
표시색	백 색	황 색	청 색	무 색	황 색	–
적응물질	목재, 종이, 섬유류 등	인화성 액체 (제4류 위험물)	단락, 스파크, 정전기 등	가연성 금속	가연성 가스	식용류화재

(1) 일반화재

목재, 종이, 섬유류, 합성수지 등 일반 가연물에 의한 화재(연소 후 재가 남는 화재)

(2) 유류화재

제4류 위험물에 의한 화재(연소 후 재가 남지 않는 화재)

① 특수인화물 : 디에틸에테르, 이황화탄소, 아세트알데히드, 산화프로필렌 등
② 제1석유류 : 휘발유, 아세톤, 콜로디온, 벤젠, 톨루엔, MEK(메틸에틸케톤), 초산에스테르류, 의산에스테르류 등
③ 제2석유류 : 등유, 경유, 아세트산, 아크릴산 등
④ 제3석유류 : 중유, 크레오소트유, 글리세린, 에틸렌글리콜 등
⑤ 제4석유류 : 기어유, 실린더유, 윤활유 등
⑥ 알코올류 : 메틸알코올, 에틸알코올, 프로필알코올로서 포화 1개에서 3개까지의 포화 1가 알코올(농도 60[%] 이상)로서 변성알코올도 포함한다.
⑦ 동식물유류 : 건성유, 반건성유, 불건성유

구 분	건성유	반건성유	불건성유
요오드값	130 이상	100~130 미만	100 이하

동식물유류의 요오드(아이오딘)값이 큰 경우(불포화도 = 요오드값)
- 건성유
- 불포화도가 높다.
- 자연발화성이 높다.
- 산소와 결합이 쉽다(산화반응).

유류화재 시 주수(물)소화 금지 이유 : 연소면(화재면) 확대

(3) 전기화재

① 발생원인

㉠ 과부하에 의한 발화

㉡ 단락에 의한 발화

㉢ 누전에 의한 발화

㉣ 불꽃방전에 의한 발화

㉤ 용접불꽃에 의한 발화

㉥ 낙 뢰

(4) 금속화재

금속 분진의 양 : 30~80[mg/L]

① **제1류 위험물** : 알칼리금속의 과산화물(Na_2O_2, K_2O_2)

$2Na_2O_2 + 2H_2O \rightarrow 4NaOH + O_2\uparrow$ [조연(지연)성 가스]

$2K_2O_2 + 2H_2O \rightarrow 4KOH + O_2\uparrow$ [조연(지연)성 가스]

② **제2류 위험물** : 마그네슘(Mg), 철분(Fe), 알루미늄(Al)

$Mg + 2H_2O \rightarrow Mg(OH)_2 + H_2\uparrow$

③ **제3류 위험물** : 칼륨(K), 나트륨(Na), 황린(P_4), 카바이드(탄화칼슘 ; CaC_2) 등 물질과 반응하여 가연성 가스(수소, 아세틸렌, 메탄, 포스핀)를 발생하는 물질

$2Na + 2H_2O \rightarrow 2NaOH + H_2\uparrow$

CaC_2(탄화칼슘) + $2H_2O \rightarrow Ca(OH)_2 + C_2H_2$(아세틸렌 연소범위 大)

Ca_3P_2(인화칼슘) + $6H_2O \rightarrow 3Ca(OH)_2 + 2PH_3\uparrow$ (포스핀)

AlP(인화알루미늄) + $3H_2O \rightarrow Al(OH)_3$(수산화알루미늄) + $PH_3\uparrow$ (포스핀)

④ **알킬알루미늄 소화약제** : 건조된 모래, 팽창질석, 팽창진주암

주수소화 금지 이유 : 가연성 가스가 발생하기 때문에

(5) 가스화재

가연성 가스, 압축가스, 액화가스, 용해가스 등의 화재

① 가연성 가스 : 수소(H_2), 일산화탄소(CO), 아세틸렌(C_2H_2), 메탄(CH_4), 에탄(C_2H_6), 프로판(C_3H_8), 부탄(C_4H_{10}) 등의 폭발한계 농도가 하한값이 10[%] 이하, 상한값과 하한값의 차이가 20[%] 이상인 가스

> 가연성 가스이면서 독성가스 : 벤젠(C_6H_6), 황화수소(H_2S), 암모니아(NH_3)

② 압축가스 : 수소(H_2), 질소(N_2), 산소(O_2) 등 고압으로 저장되어 있는 가스

③ 액화가스 : 액화석유가스(LPG), 액화천연가스(LNG) 등 액화되어 있는 가스

> **LPG(액화석유가스)**
> - 주성분 : 프로판(C_3H_8), 부탄(C_4H_{10})
> - 무색무취
> - 물에 녹지 않고, 유기용제에 녹는다.
> - 석유류, 동식물유류, 천연고무를 잘 녹인다.
> - 공기 중에서 쉽게 연소, 폭발한다.
> - 액체상태에서 기체로 될 때 체적은 약 250배로 된다.
> - 액체상태는 물보다 가볍고(약 0.5배), 기체상태는 공기보다 무겁다(약 1.5~2.0배).
> - 가스누설탐지기 : 바닥에서 30[cm] 이내 시설

> **LNG(액화천연가스)**
> - 주성분 : 메탄(CH_4)
> - 무색무취
> - 가스누설탐지기 : 천장에서 30[cm] 이내 시설
> - 기체상태는 공기보다 가볍다(약 0.55배).
> - 메탄 완전 연소 시 연소생성물 : 이산화탄소(CO_2), 물(H_2O)
> $CH_4 + 2O_2 \rightarrow CO_2 + 2H_2O$

※ 공기분자량 = 29

- C_3H_8(프로판) = $12 \times 3 + 1 \times 8 = 44$
  C_3H_8은 공기보다 무겁다.
- CH_4(메탄) = $12 + 1 \times 4 = 16$
  CH_4은 공기보다 가볍다.

④ 용해가스 : 아세틸렌(C_2H_2)은 아세톤에 녹여서 저장·사용

(6) 주방화재

주방에서 동식물유류를 취급하는 조리기구 화재

(7) 산불화재

① 지중화 : 마른 지피물층이나 부식층에 일어나는 산불
② 지표화 : 지표면에 있는 낙엽, 관목 등을 연소시키는 산불
③ 수간화 : 나무줄기를 연소시키는 산불
④ 수관화 : 나뭇가지나 잎이 무성한 부분을 연소시키는 산불

3 가연성가스의 폭발한계

(1) 연소한계(연소범위) 또는 폭발한계(폭발범위)

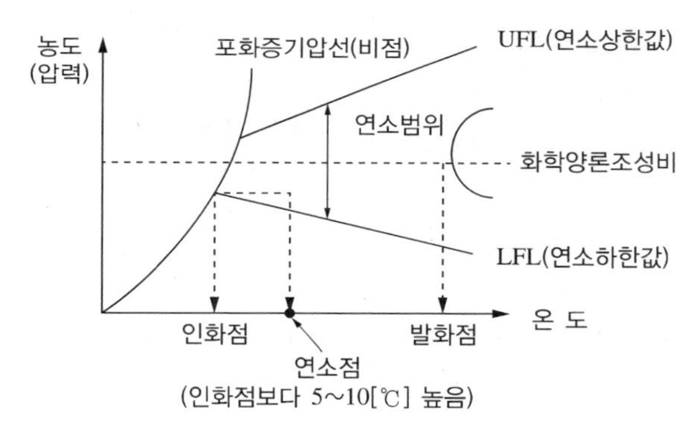

① **폭발범위** : 가연성 물질이 기체상태에서 공기와 혼합했을 때 연소가 일어나는 일정농도 범위
   ㉠ 하한값(하한계) : 연소가 계속되는 최저의 용량비
   ㉡ 상한값(상한계) : 연소가 계속되는 최대의 용량비
② **폭발범위와 화재의 위험성**
   ㉠ 하한값이 낮을수록 위험
   ㉡ 상한값이 높을수록 위험
   ㉢ 연소범위가 넓을수록 위험
   ㉣ 인화점 및 착화점이 낮을수록 위험
   ㉤ 비점 및 융점이 낮을수록 위험
   ㉥ 압력이 상승하면 하한값은 불변, 상한값은 증가
   ㉦ 온도가 높아지면 연소범위가 넓어진다.

(2) 공기 중 폭발범위(연소범위)

종 류	하한값[%]	상한값[%]	종 류	하한값[%]	상한값[%]
아세틸렌(C_2H_2)	2.5	81.0	산화프로필렌(CH_3CHCH_2O)	2.5	38.5
수소(H_2)	4.0	75.0	아이소프로필아민[$(CH_3)_2CHNH_2$]	2.0	10.4
일산화탄소(CO)	12.5	74.0	시안화수소(HCN)	6.0	41.0
암모니아(NH_3)	15.0	28.0	산화에틸렌(C_2H_4O)	3.0	80.0
메탄(CH_4)	5.0	15.0	아세톤(CH_3COCH_3)	2.5	12.8
에탄(C_2H_6)	3.0	12.5	휘발유(C_5H_{12}~C_9H_{20})	1.4	7.6
프로판(C_3H_8)	2.1	9.5	벤젠(C_6H_6)	1.4	7.1
부탄(C_4H_{10})	1.8	8.4	톨루엔($C_6H_5CH_3$)	1.4	6.7
이황화탄소(CS_2)	1.0	44.0	메틸알코올(CH_3OH)	7.3	36.0
에테르($C_2H_5OC_2H_5$)	1.9	48.0	에틸알코올(C_2H_5OH)	4.3	19.0
아세트알데히드(CH_3CHO)	4.1	57.0			

※ 연소범위가 큰 순서 : 아세틸렌 > 수소 > 일산화탄소

(3) 위험도(Degree of Hazards)

$$\text{위험도 } H = \frac{\text{UFL} - \text{LFL}}{\text{LFL}}$$

여기서, UFL : 연소상한계

LFL : 연소하한계

※ 위험도가 큰 순서 : 이황화탄소 > 아세틸렌 > 에테르

$$CS_2 \text{ 이황화탄소} = \frac{44 - 1}{1} = 43[\%]$$

(4) 혼합가스의 폭발한계값

$$\frac{100}{L_m} = \frac{V_1}{L_1} + \frac{V_2}{L_2} + \cdots \frac{V_n}{L_n},\ L_m = \frac{100}{\frac{V_1}{L_1} + \frac{V_2}{L_2} + \frac{V_3}{L_3} + \cdots + \frac{V_n}{L_n}}$$

여기서, L_m : 혼합가스의 폭발한계(하한값, 상한값의 [vol%])

V_1, V_2, V_3, ⋯, V_n : 가연성 가스의 용량[vol%]

L_1, L_2, L_3, ⋯, L_n : 가연성 가스의 하한값 또는 상한값[vol%]

4 폭 발

(1) 폭발의 개요

급격한 산화반응으로 폭음과 충격파가 발생하는 비정상적인 연소를 말하며 폭연과 폭굉이 있다.

① 폭연(Deflagration)

㉠ 연소열에 의한 미연소 혼합기를 가열하는 구조로 폭발 속도가 음속 이하인 폭발을 말한다.

㉡ 화염의 전파속도 < 음속(340[m/s])

② 폭굉(Detonation)

㉠ 폭굉은 압축파의 압축에 의한 발화구조로 폭발 속도가 음속 이상(1,000~3,500[m/s])인 폭발을 말한다.

㉡ 폭굉유도거리(DID) : 최초의 완만한 연소가 격렬한 폭굉으로 발전할 때까지의 거리

㉢ 화염의 전파속도 > 음속(340[m/s])

구 분	연소, 폭연	폭 굉
전파속도	0.1~10[m/s]로서 음속 이하	1,000~3,500[m/s]로서 음속 이상
전파에 필요한 에너지	전도, 대류, 복사	충격에너지
폭발압력	초기압력의 10배 이하	10배 이상(충격파 발생)
화재 파급효과	크다.	작다.
충격파	발생하지 않는다.	발생한다.

(2) 폭발의 분류

폭발 = 물리적 조건 × 에너지 조건
(농도) (점화원)

① 물리적 폭발(압력 방출에 의한 폭발)

㉠ 화산의 폭발

㉡ 은하수 충돌에 의한 폭발

㉢ 진공용기의 파손에 의한 폭발

㉣ 과열액체의 비등에 의한 증기폭발

㉤ 고압용기의 과압과 과충전

② 화학적 폭발

㉠ 산화폭발 : 가스가 공기 중에 누설 또는 인화성 액체탱크에 공기가 유입되어 탱크 내에 점화원이 유입되어 폭발하는 현상

㉡ 분해폭발 : 아세틸렌, 산화에틸렌, 히드라진과 같이 분해되면서 폭발하는 현상

> 아세틸렌 희석제 : 질소, 일산화탄소, 메탄

㉢ 중합폭발 : 시안화수소와 같이 단량체가 일정 온도와 압력으로 반응이 진행되어 분자량이 큰 중합체가 되어 폭발하는 현상

㉣ 가스폭발

가연성 가스가 산소와 반응하여 점화원에 의해 폭발하는 현상

> 가스폭발 : 메탄, 에탄, 프로판, 부탄, 수소, 아세틸렌

㉤ 분진폭발

- 공기 속을 떠다니는 아주 작은 고체 알갱이(분진 : 750[μm] 이하의 고체입자로서 공기 중에 떠 있는 분체)가 적당한 농도 범위에 있을 때 불꽃이나 점화원으로 인하여 폭발하는 현상
- 종류 : 알루미늄, 마그네슘, 아연분말, 농산물, 플라스틱, 석탄, 밀가루, 소맥분, 유황 등

> 분진폭발하지 않는 물질 : 소석회(CaO), 생석회($Ca(OH)_2$), 시멘트분, 탄산칼슘(CaC_2), 팽창질석, 팽창진주암

- 분진폭발 조건
  - 가연성일 것
  - 미분상태일 것
  - 지연성 가스에 섞여서 유동할 것
  - 점화원이 존재하고 있을 것

(3) 방폭구조

구 분	개념도	정 의	장 소
내압 방폭구조	W, L	전기기기의 점화원이 특별한 용기 내에 있어 주위의 폭발성 가스와 접촉하지 않도록 격리하는 원리	• 1종 • 2종
유입 방폭구조		전기기기의 점화원이 되는 부분을 기름 속에 넣어 주위의 폭발성 가스와 격리하여 접촉하지 않도록 하는 원리	• 1종 • 2종

구 분	개념도	정 의	장 소
압력 방폭구조		점화원이 되는 부분을 용기에 넣고 신선한 공기 및 불활성기체 등의 보호기체를 압입하고, 내부 압력을 유지하여 가스가 점화되지 못하도록 하는 원리	• 1종 • 2종
안전증 방폭구조		과열 또는 전기불꽃을 일으키는 쉬운 부분의 구조, 절연 및 온도상승 등을 엄중하게 하는 방식	• 1종 • 2종
본질안전 방폭구조	저 항, 퓨 즈, 제너 다이오드, 위험지역, 안전지역, 접 지	위험지역에서 점화원의 최소 발화에너지 이하로 유지하여 발화를 방지하는 원리	• 0종 • 1종 • 2종

5 화재의 피해 및 소실 정도

(1) 화재의 소실 정도

① 부분소화재 : 전소, 반소화재에 해당되지 아니하는 것

② 반소화재 : 건물의 30[%] 이상 70[%] 미만이 소실된 것

③ 전소화재 : 건물의 70[%] 이상(입체 면적에 대한 비율)이 소실되었거나 또는 그 미만이라도 잔존 부분을 보수하여도 재사용이 불가능한 것

(2) 위험물과 화재 위험의 상호관계

[위험물과 화재의 위험성]

제반사항	온도, 압력	인화점, 착화점, 융점, 비점	연소범위	연소속도, 증기압, 연소열
위험성	높을수록 위험	낮을수록 위험	넓을수록 위험	클수록 위험

6 화상의 종류

① 1도화상 : 화상 부위가 분홍색, 가벼운 부음과 통증

② 2도화상 : 수포성 화상, 분비액이 많이 분비

③ 3도화상 : 화상부위가 벗겨지고, 검게 되는 화상

④ 4도화상 : 피부가 탄화되고 뼈까지 도달되는 화상

핵/심/예/제

01 화재의 일반적 특성으로 틀린 것은? [19년 2회]

① 확대성
② 정형성
③ 우발성
④ 불안정성

해설 **화재의 특성** : 우발성, 확대성, 불안전성

02 종이, 나무, 섬유류 등에 의한 화재에 해당하는 것은? [20년 1·2회, 21년 2회]

① A급 화재
② B급 화재
③ C급 화재
④ D급 화재

핵심예제

해설 **일반화재(A급 화재)** : 목재, 종이, 합성수지류, 섬유류 등의 일반 가연물의 화재

03 화재의 종류에 따른 분류가 틀린 것은? [17년 4회, 20년 3회]

① A급 : 일반화재
② B급 : 유류화재
③ C급 : 가스화재
④ D급 : 금속화재

해설 **화재의 분류**

급 수 / 구 분	A급	B급	C급	D급	E급	K급
화재의 종류	일반화재	유류화재	전기화재	금속화재	가스화재	주방화재
표시색	백 색	황 색	청 색	무 색	황 색	–

1 ② 2 ① 3 ③ 정답

04 화재의 분류 방법 중 유류화재를 나타낸 것은? [19년 1회]

① A급 화재
② B급 화재
③ C급 화재
④ D급 화재

해설 3번 해설 참조

05 화재의 유형별 특성에 관한 설명으로 옳은 것은? [19년 11회]

① A급 화재는 무색으로 표시하며, 감전의 위험이 있으므로 주수소화를 엄금한다.
② B급 화재는 황색으로 표시하며, 질식소화를 통해 화재를 진압한다.
③ C급 화재는 백색으로 표시하며, 가연성이 강한 금속의 화재이다.
④ D급 화재는 청색으로 표시하며, 연소 후에 재를 남긴다.

해설 3번 해설 참조

06 B급 화재 시 사용할 수 없는 소화방법은? [17년 1회]

① CO_2 소화약제로 소화한다.
② 봉상주수로 소화한다.
③ 3종 분말약제로 소화한다.
④ 단백포로 소화한다.

해설 봉상주수는 옥내소화설비, 옥외소화전설비로서 A급(일반화재)에 적합하다.

정답 4 ② 5 ② 6 ②

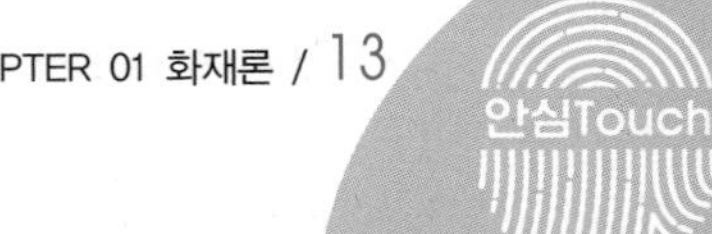

핵심 예제

07 휘발유의 위험성에 관한 설명으로 틀린 것은? [17년 4회]

① 일반적인 고체 가연물에 비해 인화점이 낮다.
② 상온에서 가연성 증기가 발생한다.
③ 증기는 공기보다 무거워 낮은 곳에 체류한다.
④ 물보다 무거워 화재 발생 시 물분무소화는 효과가 없다.

해설 휘발유는 제4류 위험물 제1석유류로서 물보다 가벼워서 물분무소화가 가능하다.

08 전기화재의 원인으로 거리가 먼 것은? [21년 1회]

① 단 락
② 과전류
③ 누 전
④ 절연 과다

해설 **전기화재의 발생원인** : 합선(단락), 과부하, 누전, 스파크, 배선불량, 전열기구의 과열

09 위험물안전관리법령상 지정된 동식물유류의 성질에 대한 설명으로 틀린 것은? [18년 2회]

① 요오드값이 작을수록 자연발화의 위험성이 크다.
② 상온에서 모두 액체이다.
③ 물에는 불용성이지만 에테르 및 벤젠 등의 유기용매에는 잘 녹는다.
④ 인화점은 1기압하에서 250[℃] 미만이다.

해설 동식물유류 요오드(아이오딘)값이 큰 경우
- 건성유
- 불포화도가 높다.
- 자연발화성이 높다.
- 산소와 결합이 쉽다.

유지 100[g]에 흡수되는 요오드의 [g]수(불포화도 = 요오드값)

요오드값	분 류
130 이상	건성유(자연발화, 산화열에 의해)
100~130	반건성유
100 이하	불건성유

7 ④ 8 ④ 9 ① 정답

10 동식물유류에서 "요오드값이 크다"라는 의미를 옳게 설명한 것은? [17년 2회]

① 불포화도가 높다.
② 불건성유이다.
③ 자연발화성이 낮다.
④ 산소와의 결합이 어렵다.

해설 9번 해설 참조

11 과산화칼륨이 물과 접촉하였을 때 발생하는 것은? [18년 2회]

① 산 소
② 수 소
③ 메 탄
④ 아세틸렌

해설 과산화칼륨은 물과 반응 시 산소가 발생한다.
$2K_2O_2 + 2H_2O \rightarrow 4KOH + O_2$(산소)

12 마그네슘의 화재에 주수하였을 때 물과 마그네슘의 반응으로 인하여 생성되는 가스는? [19년 1회]

① 산 소
② 수 소
③ 일산화탄소
④ 이산화탄소

해설 마그네슘은 물과 반응하면 수소가스를 발생하므로 위험하다.
$Mg + 2H_2O \rightarrow Mg(OH)_2 + H_2\uparrow$

정답 10 ① 11 ① 12 ②

13 **다음 물질을 저장하고 있는 장소에서 화재가 발생하였을 때 주수소화가 적합하지 않은 것은?** [20년 4회]

① 적 린
② 마그네슘 분말
③ 과염소산칼륨
④ 유 황

해설 **마그네슘**
- 제2류 위험물로서 지정수량은 500[kg]이다.
- 마그네슘은 물과 반응하면 가연성 가스인 수소가스를 발생하므로 위험하다.
  $Mg + 2H_2O \rightarrow Mg(OH)_2 + H_2 \uparrow$

핵심예제

14 **탄화칼슘이 물과 반응 시 발생하는 가연성 가스는?** [18년 1회, 20년 3회, 21년 2회]

① 메 탄
② 포스핀
③ 아세틸렌
④ 수 소

해설 **탄화칼슘(카바이드)과 물의 반응식**

$CaC_2 + 2H_2O \rightarrow Ca(OH)_2 + C_2H_2 \uparrow$
탄화칼슘 물 수산화칼슘 아세틸렌

15 **주수소화 시 가연물에 따라 발생하는 가연성 가스의 연결이 틀린 것은?** [18년 2회, 21년 1회]

① 탄화칼슘 – 아세틸렌
② 탄화알루미늄 – 프로판
③ 인화칼슘 – 포스핀
④ 수소화리튬 – 수소

해설 **탄화알루미늄과 물의 반응 : 메탄가스 발생**

$Al_4C_3 + 12H_2O \rightarrow 4Al(OH)_3 + 3CH_4 \uparrow$
수산화알루미늄 메탄

13 ② 14 ③ 15 ② 정답

16 인화알루미늄의 화재 시 주수소화하면 발생하는 물질은? [20년 1·2회]

① 수 소
② 메 탄
③ 포스핀
④ 아세틸렌

해설 $AlP + 3H_2O \rightarrow Al(OH)_3 + PH_3 \uparrow$
인화알루미늄 물 수산화알루미늄 포스핀

17 물과 반응하여 가연성 기체를 발생하지 않는 것은? [18년 2회, 20년 4회]

① 칼 륨
② 인화아연
③ 산화칼슘
④ 탄화알루미늄

해설 산화칼슘(CaO, 생석회)은 물과 반응하면 많은 열을 발생하고 가스는 발생하지 않는다.
$CaO + H_2O \rightarrow Ca(OH)_2 + Q[kcal]$

- 칼륨과 물의 반응
  $2K + 2H_2O \rightarrow 2KOH + H_2 \uparrow + 92.8[kcal]$
- 인화아연과 물의 반응
  $Zn_3P_2 + 6H_2O \rightarrow 3Zn(OH)_2 + 2PH_3 \uparrow$
- 탄화알루미늄과 물의 반응
  $Al_4C_3 + 12H_2O \rightarrow 4Al(OH)_3 + 3CH_4 \uparrow$

18 알킬알루미늄 화재에 적합한 소화약제는? [21년 2회]

① 물
② 이산화탄소
③ 팽창질석
④ 할로겐화합물

해설 **제3류 위험물 : 알킬알루미늄, 알킬리튬의 소화약제**
마른모래, 팽창질석, 팽창진주암

정답 16 ③ 17 ③ 18 ③

핵심예제

19 다음 중 가연성 가스가 아닌 것은? [17년 1회, 20년 4회]

① 일산화탄소
② 프로판
③ 아르곤
④ 메 탄

해설 불연성 가스 : 아르곤(Ar), 네온(Ne), 헬륨(He), 이산화탄소(CO_2) 등

20 액화석유가스(LPG)에 대한 성질로 틀린 것은? [18년 2회]

① 주성분은 프로판, 부탄이다.
② 천연고무를 잘 녹인다.
③ 물에 녹지 않으나 유기용매에 용해된다.
④ 공기보다 1.5배 가볍다.

해설 LPG(액화석유가스)
- 주성분 : 프로판(C_3H_8 : 44), 부탄(C_4H_{10} : 58)
- 무색무취
- 물에 녹지 않고, 유기용제에 녹는다.
- 석유류, 동식물유류, 천연고무를 잘 녹인다.
- 공기 중에서 쉽게 연소 폭발한다.
- 액체상태에서 기체로 될 때 체적은 약 250배로 된다.
- 액체상태는 물보다 가볍고(약 0.5배), 기체상태는 공기보다 무겁다(약 1.5~2.0배).
- 가스누설탐지기 : 바닥에서 30[cm] 이내 시설

LNG(액화천연가스)
- 주성분 : CH_4(메탄)
- 무색무취
- 가스누설탐지기 : 천장에서 30[m] 이내 시설
- 기체상태는 공기보다 가볍다(약 0.55배)
- 메탄 완전 연소 시 연소생성물 : CO_2, H_2O

21 산불화재의 형태로 틀린 것은? [19년 2회]

① 지중화 형태
② 수평화 형태
③ 지표화 형태
④ 수관화 형태

해설 산불화재 형태
- 지중화 : 지피물층이나 부식층
- 지표화 : 지표면
- 수간화 : 나무줄기
- 수관화 : 나뭇가지

19 ③ 20 ④ 21 ② 정답

22 인화성 액체의 연소점, 인화점, 발화점을 온도가 높은 것부터 옳게 나열한 것은? [17년 1회]

① 발화점 > 연소점 > 인화점
② 연소점 > 인화점 > 발화점
③ 인화점 > 발화점 > 연소점
④ 인화점 > 연소점 > 발화점

해설 온도가 높은 순서 : 발화점 > 연소점 > 인화점

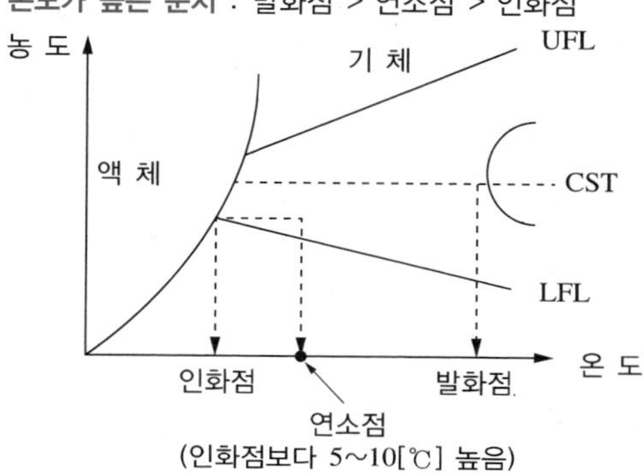

핵심예제

23 물질의 화재 위험성에 대한 설명으로 틀린 것은? [20년 1·2회]

① 인화점 및 착화점이 낮을수록 위험
② 착화에너지가 작을수록 위험
③ 비점 및 융점이 높을수록 위험
④ 연소범위가 넓을수록 위험

해설 위험성
- 인화점(하한값), 착화점(에너지), 비점・융점 : 낮을수록
- 상한값, 온도, 압력 : 높을수록
- 연소범위 : 넓을수록

정답 22 ① 23 ③

24 물질의 연소범위와 화재 위험도에 대한 설명으로 틀린 것은? [17년 1회]

① 연소범위의 폭이 클수록 화재 위험이 높다.
② 연소범위의 하한계가 낮을수록 화재 위험이 높다.
③ 연소범위의 상한계가 높을수록 화재 위험이 높다.
④ 연소범위의 하한계가 높을수록 화재 위험이 높다.

해설 연소범위

- 연소범위가 넓을수록 위험하다.
- 하한값이 낮을수록 위험하다.
- 온도와 압력을 증가하면 하한값은 불변, 상한값은 증가하므로 위험하다.

25 공기 중에서 연소범위가 가장 넓은 물질은? [17년 4회]

① 수 소 ② 이황화탄소
③ 아세틸렌 ④ 에테르

해설 연소범위

종 류	연소범위
수소(H_2)	4.0~75.0[%]
이황화탄소(CS_2)	1.0~44.0[%]
아세틸렌(C_2H_2)	2.5~81.0[%]
에테르($C_2H_5OC_2H_5$)	1.9~48.0[%]
메탄(CH_4)	5.0~15.0[%]

26 공기 중에서 수소의 연소범위로 옳은 것은? [20년 4회]

① 0.4~4[vol%] ② 1~12.5[vol%]
③ 4~75[vol%] ④ 67~92[vol%]

해설 공기 중 가스의 폭발범위(연소범위)

종 류	연소범위
아세틸렌(C_2H_2)	2.5~81.0[%]
수소(H_2)	4.0~75.0[%]
일산화탄소(CO)	12.5~74.0[%]

24 ④ 25 ③ 26 ③ 정답

27 프로판가스의 연소범위[vol%]에 가장 가까운 것은? [19년 1회]

① 9.8~28.4
② 2.5~81
③ 4.0~75
④ 2.1~9.5

해설 연소범위

종 류	연소범위
아세틸렌(C_2H_2)	2.5~81.0[%]
수소(H_2)	4.0~75.0[%]
프로판(C_3H_8)	2.1~9.5[%]

28 다음 중 소화에 필요한 이산화탄소소화약제의 최소 설계농도 값이 가장 높은 물질은? [20년 1·2회]

① 메 탄
② 에틸렌
③ 천연가스
④ 아세틸렌

해설 이산화탄소소화약제 최소 설계농도

- 메탄 : 34[%]
- 에틸렌 : 49[%]
- 천연가스 : 37[%]
- 아세틸렌 : 66[%]

29 MOC(Minimum Oxygen Concentration : 최소산소농도)가 가장 작은 물질은? [18년 1회]

① 메 탄
② 에 탄
③ 프로판
④ 부 탄

해설 최소산소농도(MOC) : 화염을 전파하기 위해 필요한 최소한의 산소농도
최소산소농도 = 하한값 × 산소의 몰수

- 메탄 $= 5 \times 2 = 10$
- 에탄 $= 3 \times 3.5 = 10.5$
- 프로판 $= 2.1 \times 5 = 10.5$
- 부탄 $= 1.8 \times 6.5 = 11.7$

정답 27 ④ 28 ④ 29 ①

핵심예제

안심Touch

30 다음 중 연소범위를 근거로 계산한 위험도 값이 가장 큰 물질은? [20년 1·2회]

① 이황화탄소 ② 메 탄

③ 수 소 ④ 일산화탄소

해설

위험도 : $H = \frac{U-L}{L}$

- 이황화탄소 $H = \frac{44-1}{1} = 43$
- 메탄 $H = \frac{15-5}{5} = 2$
- 수소 $H = \frac{75.0-4.0}{4.0} = 17.75$
- 일산화탄소 $H = \frac{74.0-12.5}{12.5} = 4.92$

핵심예제

31 공기와 접촉되었을 때 위험도(H)가 가장 큰 것은? [19년 1회]

① 에테르 ② 수 소

③ 에틸렌 ④ 부 탄

해설 위험성이 큰 것은 위험도가 크다는 것이다.

- 각 물질의 연소범위

종 류	하한값[%]	상한값[%]
에테르($C_2H_5OC_2H_5$)	1.9	48.0
수소(H_2)	4.0	75.0
에틸렌(C_2H_4)	2.7	36.0
부탄(C_4H_{10})	1.8	8.4

- 위험도 계산식

위험도(H) $= \frac{U-L}{L} = \frac{\text{폭발상한값} - \text{폭발하한값}}{\text{폭발하한값}}$

- 위험도 계산
  - 에테르 $H = \frac{48.0 - 1.9}{1.9} = 24.26$
  - 수소 $H = \frac{75.0 - 4.0}{4.0} = 17.75$
  - 에틸렌 $H = \frac{36.0 - 2.7}{2.7} = 12.33$
  - 부탄 $H = \frac{8.4 - 1.8}{1.8} = 3.67$

30 ① 31 ① 정답

32 다음의 가연성 물질 중 위험도가 가장 높은 것은? [18년 1회, 21년 1회]

① 수 소
② 에틸렌
③ 아세틸렌
④ 이황화탄소

해설

종 류	하한값[%]	상한값[%]
아세틸렌(C_2H_2)	2.5	81.0
수소(H_2)	4.0	75.0
이황화탄소(CS_2)	1.0	44.0
에틸렌(C_2H_4)	2.7	36.0

위험도(H) $= \frac{U-L}{L} = \frac{\text{폭발상한값}-\text{폭발하한값}}{\text{폭발하한값}}$

- 수소 $H = \frac{75.0-4.0}{4.0} = 17.75$
- 에틸렌 $H = \frac{36.0-2.7}{2.7} = 12.33$
- 아세틸렌 $H = \frac{81.0-2.5}{2.5} = 31.4$
- 이황화탄소 $H = \frac{44-1}{1} = 43$

핵심 예제

33 프로판 50[vol%], 부탄 40[vol%], 프로필렌 10[vol%]로 된 혼합가스의 폭발하한계는 약 몇 [vol%]인가?(단, 각 가스의 폭발하한계는 프로판은 2.2[vol%], 부탄은 1.9[vol%], 프로필렌은 2.4[vol%]이다) [17년 2회, 21년 2회]

① 0.83
② 2.09
③ 5.05
④ 9.44

해설 **혼합가스의 폭발범위**

$$L_m = \frac{100}{\frac{V_1}{L_1} + \frac{V_2}{L_2} + \frac{V_3}{L_3} + \cdots + \frac{V_n}{L_n}}$$

여기서, L_m : 혼합가스의 폭발한계(하한값, 상한값의 [vol%])

$V_1, V_2, V_3, \cdots, V_n$: 가연성 가스의 용량[vol%]

$L_1, L_2, L_3, \cdots, L_n$: 가연성 가스의 하한값 또는 상한값[vol%]

$$\therefore L_m(\text{하한값}) = \frac{100}{\frac{V_1}{L_1} + \frac{V_2}{L_2} + \frac{V_3}{L_3}} = \frac{100}{\frac{50}{2.2} + \frac{40}{1.9} + \frac{10}{2.4}} = 2.09[\%]$$

정답 32 ④ 33 ②

안심Touch

34 폭연에서 폭굉으로 전이되기 위한 조건에 대한 설명으로 틀린 것은? [18년 4회]

① 정상연소속도가 작은 가스일수록 폭굉으로 전이가 용이하다.
② 배관 내에 장애물이 존재할 경우 폭굉으로 전이가 용이하다.
③ 배관의 관경이 가늘수록 폭굉으로 전이가 용이하다.
④ 배관 내 압력이 높을수록 폭굉으로 전이가 용이하다.

해설 폭굉 : 화염의 전파(연소) 속도가 음속보다 빠른 폭발 연소속도가 작은 가스는 폭굉으로 전이가 어렵다.

폭 연	폭 굉
화염전파속도(연소속도) < 음 속	화염전파속도(연소속도) > 음 속

35 폭발의 형태 중 화학적 폭발이 아닌 것은? [17년 4회, 18년 2회]

① 분해폭발
② 가스폭발
③ 수증기폭발
④ 분진폭발

해설 화학적 폭발 : 분해폭발, 산화폭발, 중합폭발, 가스폭발, 분진폭발
물리적 폭발 : 화산폭발, 진공용기의 과열폭발, 수증기 폭발

핵심예제

36 대두유가 침적된 기름걸레를 쓰레기통에 장시간 방치한 결과 자연발화에 의하여 화재가 발생한 경우 그 이유로 옳은 것은? [18년 1회, 21년 1회]

① 분해열 축적
② 산화열 축적
③ 흡착열 축적
④ 발효열 축적

해설 기름걸레를 장시간 방치하면 산화열의 축적에 의하여 자연발화한다.
※ 산화열 : 산소와 화학반응하여 열을 발생

37 다음 중 분진폭발의 위험성이 가장 낮은 것은? [18년 4회]

① 소석회
② 알루미늄분
③ 석탄분말
④ 밀가루

해설 분진폭발하지 않는 물질 : 소석회[$Ca(OH)_2$], 생석회(CaO), 시멘트분, 팽창질석, 팽창진주암

34 ① 35 ③ 36 ② 37 ① 정답

38 **분진폭발의 위험성이 가장 낮은 것은?** [18년 1회]

① 알루미늄분
② 유 황
③ 팽창질석
④ 소맥분

해설 팽창질석은 소화약제로 분진폭발을 일으키지 않는다.

39 **전기불꽃, 아크 등이 발생하는 부분을 기름 속에 넣어 폭발을 방지하는 방폭구조는?** [17년 1회]

① 내압 방폭구조
② 유입 방폭구조
③ 안전증 방폭구조
④ 특수 방폭구조

해설 **유입 방폭구조** : 전기불꽃, 아크 등이 발생하는 부분을 기름 속에 넣어 폭발을 방지하는 방폭구조

40 **인화점이 40[℃] 이하인 위험물을 저장, 취급하는 장소에 설치하는 전기설비는 방폭구조로 설치하는데, 용기의 내부에 기체를 압입하여 압력을 유지하도록 함으로써 폭발성가스가 침입하는 것을 방지하는 구조는?** [19년 1회]

① 압력 방폭구조
② 유입 방폭구조
③ 안전증 방폭구조
④ 본질안전 방폭구조

해설 **압력 방폭구조** : 점화원이 되는 부분을 용기에 넣고 신선한 공기 및 불활성기체 등의 보호기체를 압입하고, 내부 압력을 유지하여 가스가 점화되지 못하도록 하는 구조

정답 38 ③ 39 ② 40 ①

제2절 연소이론과 실제

1 연 소

(1) 정 의

가연물이 공기 중에서 산소와 반응하여 열과 빛을 동반하는 산화현상

※ 산화현상(산화반응) : 산소와 화합하는 반응

발열반응 : 열을 발생하는 반응

(2) 연소의 색과 온도

색 상	암적색	적 색	휘적색	황적색	백적색	휘백색
온도[℃]	700~750	850	925~950	1,100	1,200~1,300	1,500 이상

(3) 연소물질의 온도 및 온도 계산

상 태	온 도
목재화재	1,200~1,300[℃]
촛불, 연강용해	1,400[℃]
아세틸렌 불꽃	3,300~4,000[℃]
전기용접 불꽃	3,000[℃]
물의 비점	100[℃]

① 섭씨온도 : $[℃] = \frac{5}{9}([°F] - 32)$

② 화씨온도 : $[°F] = \frac{9}{5} \times [℃] + 32 = 1.8 \times [℃] + 32$

③ 절대온도 : $[K] = 273 + [℃] = 273 + \frac{5}{9}([°F] - 32)$

④ 랭킨온도 : $[R] = 460 + [°F] = 460 + \frac{9}{5} \times [℃] + 32$

(4) 연소의 3요소 : 가연물, 산소공급원, 점화원(활성화 에너지, 열원)

① 가연물 : 목재, 종이, 석탄, 플라스틱 등과 같이 산소와 반응하여 발열반응을 하는 물건

㉠ 가연물의 조건

- 열전도율이 작을 것
- 발열량이 클 것

- 표면적이 넓을 것
- 산소와 친화력이 좋을 것
- 활성화에너지가 작을 것

㉡ 가연물이 될 수 없는 물질
- 산소와 더 이상 반응하지 않는 물질
  예 이산화탄소(CO_2), 물(H_2O), 규조토 등
- 산소와 반응 시 흡열반응을 하는 물질
  예 질소 또는 질소산화물 등
- 불활성 기체
  예 헬륨(He), 네온(Ne), 아르곤(Ar), 크립톤(Kr), 제논(Xe), 라돈(Rn)

② **산소공급원** : 산소, 공기, 제1류 위험물, 제5류 위험물, 제6류 위험물

> 조연(지연)성 가스 : 산소, 공기, 불소(플루오린), 염소, 이산화질소

③ **점화원** : 전기불꽃, 정전기불꽃, 충격마찰의 불꽃, 단열압축, 나화 및 고온표면 등

> - 점화원이 될 수 없는 것 : 기화열, 액화열, 응고열, 냉매
> - 연소의 4요소 : 가연물, 산소공급원, 점화원, 순조로운 연쇄반응

2 연소의 형태

(1) 고체의 연소

① **표면연소(작열연소, 직접연소, 응축연소)** : 목탄, 코크스, 숯, 금속분 등이 열분해에 의하여 가연성 가스를 발생하지 않고 그 물질 자체가 연소하는 현상

② **분해연소** : 석탄, 종이, 목재, 플라스틱 등의 연소 시 열분해에 의해 발생된 가스와 공기가 혼합하여 연소하는 현상

③ **증발연소** : 황, 나프탈렌, 촛불, 왁스, 파라핀 등과 같이 고체를 가열하면 열분해는 일어나지 않고 고체가 액체로 되어 일정온도가 되면 액체가 기체로 변화하여 기체가 연소하는 현상

④ **자기연소(내부연소)** : 제5류 위험물인 니트로셀룰로오스, 질화면, TNT, 니트로 화합물, 질산에스테르류 등 가연물과 산소를 동시에 가지고 있는 가연물이 연소하는 현상

(2) 액체의 연소

① **증발연소** : 알코올, 아세톤, 휘발유, 등유, 경유와 같이 액체를 가열하면 증기가 되어 증기가 연소하는 현상

② 액적연소 : 벙커C유와 같이 가열하여 점도를 낮추어 버너 등을 사용하여 액체의 입자를 안개상으로 분출하여 연소하는 현상

(3) 기체의 연소

① 확산연소 : 수소, 아세틸렌, 프로판, 부탄, 메탄, 암모니아, 일산화탄소 등 화염의 안정범위가 넓고 조작이 용이하여 역화의 위험이 없는 연소

② 예혼합연소 : 기체연료에 공기 중 산소를 미리 혼합하여 연소하는 현상

3 연소의 이상현상

(1) 역화(Back Fire)

① 연료가스의 분출속도가 연소속도보다 느릴 때 불꽃이 연소기의 내부로 들어가 혼합관 속에서 연소하는 현상(연소속도 > 분출속도)

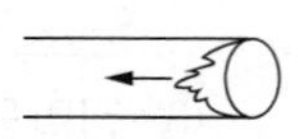

② **역화의 원인**
- 버너가 과열될 때
- 혼합가스량이 너무 적을 때
- 연료의 분출속도가 연소속도보다 느릴 때
- 압력이 낮을 때
- 노즐의 부식으로 분출 구멍이 커진 경우

(2) 선화(Lifting)

연료가스의 분출속도가 연소속도보다 빠를 때 불꽃이 버너의 노즐에서 떨어져 나가서 연소하는 현상으로 완전 연소가 이루어지지 않으며 역화의 반대현상(연소속도 < 분출속도)

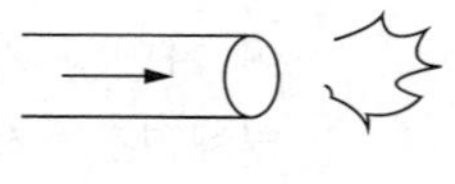

(3) 블로오프(Blow-off)현상

선화상태에서 연료가스의 분출속도가 증가하거나 주위 공기의 유동이 심하면 화염이 노즐에서 연소하지 못하고 떨어져서 화염이 꺼지는 현상(연소속도 ≪ 분출속도)

(4) 잔염시간

버너의 불꽃을 제거한 때부터 불꽃을 올리며 연소하는 상태가 그칠 때까지의 시간(20초 이내)

(5) 잔진시간

버너의 불꽃을 제거한 때부터 불꽃을 올리지 아니하고 연소하는 상태가 그칠 때까지의 시간 (30초 이내)

4 연소에 따른 제반사항

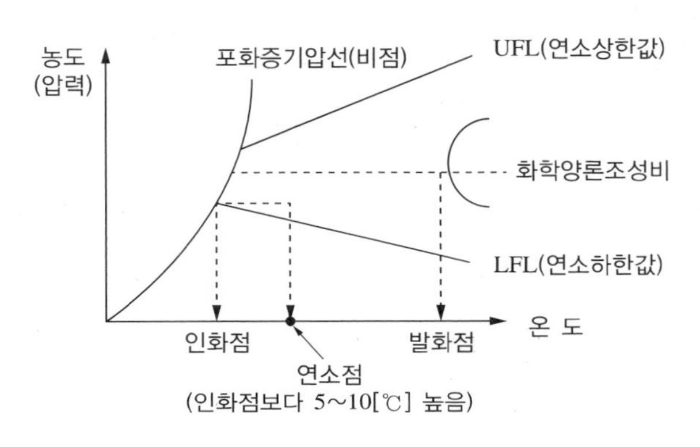

(1) 인화점(Flash Point) : 연소하한값

① 휘발성 물질에 불꽃을 접하여 발화될 수 있는 최저의 온도
② 가연성 증기를 발생할 수 있는 최저의 온도

> 여름철에 온도가 높으면 휘발유의 유증기가 발생하는데 이때 가연성 증기가 불꽃에 의하여 연소가 일어날 수 있는 최저 온도를 인화점이라 한다.

※ 디메틸에테르 : −45[℃], 이황화탄소 : −30[℃]

(2) 연소점(Fire Point)

어떤 물질이 연소 시 연소를 지속할 수 있는 최저 온도로서 인화점보다 5~10[℃] 높다.

> 인화점 < 연소점 < 발화점
> (인화점과 연소점은 비례, 발화점은 관계없다)

(3) 발화점(Ignition Point) : 착화점

가연성 물질에 점화원을 접하지 않고도 불이 일어나는 최저의 온도

① 자연발화의 형태
㉠ 산화열에 의한 발화 : 석탄, 건성유, 고무분말, 기름종이

㉡ 분해열에 의한 발화 : 니트로셀룰로스
㉢ 미생물에 의한 발화 : 퇴비, 먼지
㉣ 흡착열에 의한 발화 : 목탄, 활성탄
㉤ 중합열에 의한 발화 : 시안화수소(HCN)

자연발화의 형태 : 산화열, 분해열, 미생물, 흡착열

※ 황린의 발화온도 : 34[℃]

② 자연발화의 조건
㉠ 주위의 온도가 높을 것
㉡ 열전도율이 작을 것
㉢ 발열량이 클 것
㉣ 표면적이 넓을 것
㉤ 열축적이 클 것
㉥ 공기유동이 작을 것(통풍이 안 될 때)

③ 자연발화 방지법
㉠ 습도를 낮게 할 것
㉡ 통풍을 잘 시킬 것
㉢ 주위의 온도를 낮출 것
㉣ 불활성 가스를 주입하여 공기와 접촉을 피할 것

(4) 착화(발화)에너지

어떤 물질이 공기와 혼합하였을 때 점화원으로 발화하기 위해 필요한 최소한의 에너지

① 착화에너지에 영향을 주는 요인
㉠ 온 도
㉡ 압 력
㉢ 농도(조성)
㉣ 혼입물

② 착화에너지가 클 경우(위험도가 낮다)
㉠ 압력이나 온도가 낮을 때
㉡ 질소, 이산화탄소 등 불연성 가스를 투입할 때
㉢ 가연물의 농도가 감소할 때
㉣ 산소의 농도가 감소할 때

(5) 증기비중

$$\text{증기비중} = \frac{\text{분자량}}{29}$$

① **공기의 조성** : 산소(O_2) 21[%], 질소(N_2) 78[%], 아르곤(Ar) 1[%] 등

② **공기의 평균분자량** = (32 × 0.21) + (28 × 0.78) + (40 × 0.01)

= 28.96 ≒ 29

(분자량 : H : 1, N : 14, C : 12, O : 16, Ar : 40, CO_2 : 44)

$$\text{밀도} = \frac{\text{분자량}}{22.4}[g/L]$$

(6) 증기-공기밀도(Vapor-Air Density)

$$\text{증기-공기밀도} = \frac{P_2 d}{P_1} + \frac{P_1 - P_2}{P_1}$$

여기서, P_1 : 대기압

P_2 : 주변온도에서의 증기압

d : 증기밀도

(증기압 : 증기가 액체와 평형상태에 있을 때 증기가 새어나가는 압력)

(7) 이산화탄소 농도

$$CO_2 = \left(\frac{21 - O_2}{21} \right) \times 100[\%]$$

여기서, O_2 : 산소농도[%]

(8) 기체 부피에 관한 법칙

① **보일-샤를의 법칙** : 기체가 차지하는 부피는 압력에 반비례하고, 절대온도에 비례한다.

$$\frac{P_1 V_1}{T_1} = \frac{P_2 V_2}{T_2}$$

여기서, P_1, P_2 : 기압[atm]

V_1, V_2 : 부피[m^3]

T_1, T_2 : 절대온도[K]

② 보일의 법칙 : 온도가 일정할 때 기체의 부피는 절대압력에 반비례한다.

$$P_1 V_1 = P_2 V_2$$

여기서, P_1, P_2 : 기압[atm]

V_1, V_2 : 부피[m³]

③ 샤를의 법칙 : 압력이 일정할 때 기체의 부피는 절대온도에 비례한다.

$$\frac{V_1}{T_1} = \frac{V_2}{T_2}$$

여기서, T_1, T_2 : 절대온도[K]

V_1, V_2 : 부피[m³]

④ 이상기체 상태방정식

$$PV = nRT = \frac{W}{M}RT$$

여기서, P : 기압[atm]

V : 부피[L]

T : 절대온도[K]

n : 몰수$\left(\frac{W(무게)}{M(분자량)}\right)$

W : 질량[kg]

M : 분자량

R : 기체상수(0.082[L · atm/g-mol · K])

(9) 비열(Specific Heat)

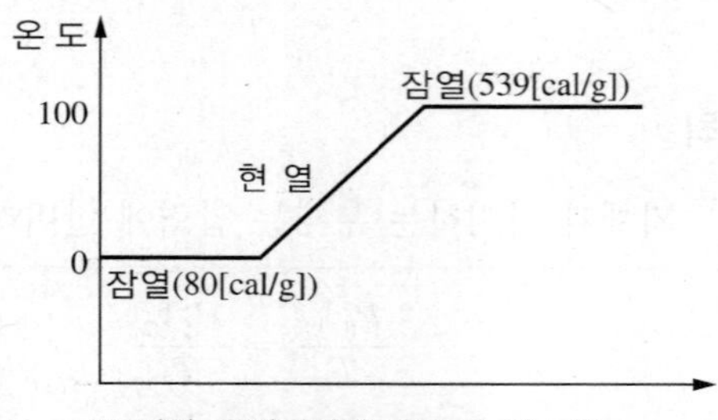

※ 비열, 증발잠열이 가장 큰 것 : 물

① 1[cal] : 1[g]의 물체를 1[℃] 올리는 데 필요한 열량

② 1[BTU] : 1[lb]의 물체를 1[°F] 올리는 데 필요한 열량

③ 물의 비열 : 1[cal/g · ℃]

물을 소화약제로 사용하는 이유 : 비열과 증발잠열이 크기 때문

(10) 잠열(Latent Heat)

어떤 물질이 온도는 변하지 않고 상태만 변화할 때 발생하는 열

① **증발잠열** : 액체가 기체로 될 때 출입하는 열
(물의 증발잠열 : 539[cal/g])

② **융해잠열** : 고체가 액체로 될 때 출입하는 열
(물의 융해잠열 : 80[cal/g])

(11) 열량 계산

① 기본 단위

㉠ 1[J] = 0.24[cal] (0.2389[cal])

㉡ 1[cal] = 4.2[J] (4.184[J])

㉢ 1[kWh] = 860[kcal]

② 열량 : $Q = Cm\theta = Cm(T - T_0)$[kcal]

여기서, C : 비열 (물비열 : $C = 1$)

m : 질량[kg], [L]

θ : 온도차[℃]

T : 변화 후 온도[℃]

T_0 : 변화 전 온도[℃]

5 연소 생성물의 종류 및 특성

(1) 연소 생성물 4가지 : 열, 연기, 화염, 연소가스

연소가스 : 물질이 열분해 또는 연소할 때 발생

(2) 일산화탄소(CO)(불완전 연소)

① 화재 시 발생한 일산화탄소를 흡입하면 화학작용에 의해 헤모글로빈이 혈액의 산소 운반 작용을 저해하여 사람을 질식 · 사망하게 한다.

② 0.2[%]의 농도로 1시간 정도 호흡 시 생명에 위협을 주는 독성가스

(3) 이산화탄소(CO_2)(완전 연소)

연소가스 중 가장 많은 양을 차지하며, 가스 그 자체의 독성은 거의 없으나 다량을 흡입할 경우는 위험할 수 있다.

(4) 주요 연소생성물의 영향

가 스	현 상
$COCl_2$(포스겐)	매우 독성이 강한 가스로서 연소 시에는 거의 발생하지 않으나 사염화탄소약제 사용 시 발생한다($CCl_4 + CO_2 = 2COCl_2$).
CH_2CHCHO(아크롤레인)	석유제품이나 유지류가 연소할 때 생성
SO_2(아황산가스)	황을 함유하는 유기화합물이 완전 연소 시에 발생
H_2S(황화수소)	황을 함유하는 유기화합물이 불완전 연소 시에 발생, 달걀 썩는 냄새가 나는 가스
CO_2(이산화탄소)	연소가스 중 가장 많은 양을 차지, 완전 연소 시 생성
CO(일산화탄소)	불완전 연소 시에 다량 발생, 혈액 중의 헤모글로빈(Hb)과 결합하여 혈액 중의 산소운반 저해하여 사망
HCl(염화수소)	PVC와 같이 염소가 함유된 물질의 연소 시 생성

6 열에너지의 종류

(1) 화학열

① **연소열** : 어떤 물질이 완전히 산화되는 과정에서 발생하는 열
② **용해열** : 어떤 물질이 액체에 용해될 때 발생하는 열
③ **분해열** : 어떤 화합물이 분해할 때 발생하는 열
④ **자연발화** : 어떤 물질이 외부열의 공급 없이 온도가 상승하여 발화점 이상에서 연소하는 현상(햇볕에 노출된 기름걸레의 자연발화 원인은 산화열 축적)

(2) 전기열

① **저항열** : 도체에 전류가 흐르면 전기저항 때문에 전기에너지의 일부가 열로 변할 때 발생하는 열(백열전구)
② **유전열** : 누설전류에 의해 절연물질이 가열하여 절연이 파괴되어 발생하는 열
③ **유도열** : 도체 주위에 변화하는 자장이 존재하면 전위차를 발생하고 이 전위차로 전류의 흐름이 일어나 도체의 저항 때문에 발생하는 열
④ **정전기열** : 정전기가 방전할 때 발생하는 열
⑤ **아크열** : 아크의 온도는 매우 높기 때문에 가연성이나 인화성 물질을 점화시킬 수 있다.

- **정전기 방지법**
  - 접지할 것
  - 상대습도를 70[%] 이상으로 할 것
  - 공기를 이온화할 것
  - 유속을 1[m/s] 이하로 할 것
- **정전기에 의한 발화과정**
  전하의 발생 → 전하의 축적 → 방전 → 발화

(3) 기계열(기계점화에너지)

① **마찰열** : 두 물체를 마주대고 마찰시킬 때 발생하는 열
② **압축열** : 기체를 압축할 때 발생하는 열
③ **마찰스파크열** : 금속과 고체물체가 충돌할 때 발생하는 열
  예 압착기

7 열의 전달

(1) 전도 : 하나의 물체가 다른 물체와 접촉하여 열이 이동하는 현상

$$q = \frac{KA(\Delta T)}{l}$$

여기서, q : 열전달[W]
K : 열전도율[W/m · ℃]
A : 단면적[m^2]
ΔT : 온도차[℃]
l : 벽의 두께[m]

(2) 대류 : 유체(액체 · 기체)에서 대류현상에 의해 열이 전달되는 현상

$$q = Ah\Delta T$$

여기서, q : 대류열류[W]
A : 단면적[m^2]
h : 대류전열계수[W/m^2 · ℃]
ΔT : 온도차[℃]

(3) **복사** : 열에너지가 전자파로서 전달되는 현상

$q = \alpha AF(T_1^{\,4} - T_2^{\,4})$

여기서, q : 복사열[W]　　α : 슈테판-볼츠만 상수[W/m^2 · K^4]

A : 단면적[m^2]　　F : 배치계수

T_1 : 고온[K]　　T_2 : 저온[K]

8 유류탱크에서 발생하는 현상

(1) 보일오버(Boil Over)

① 중질유탱크에서 장시간 조용히 연소하다가 탱크의 잔존기름이 갑자기 분출(Over Flow)하는 현상

② 유류탱크 바닥에 물 또는 물-기름에 에멀션이 섞여 있을 때 화재가 발생하는 현상

③ 연소유면으로부터 100[℃] 이상의 열파가 탱크저부에 고여 있는 물을 비등하게 하면서 연소유를 탱크 밖으로 비산하며 연소하는 현상

(2) 슬롭오버(Slop Over)

① 연소유면 화재 시 물을 살수하면 기름이 탱크 밖으로 비산하여 화재가 확대되는 현상

② 점성이 큰 유류화재가 발생되면 유류의 액 표면 온도가 물의 비점 이상으로 온도가 올라가게 되는데 소화용수가 뜨거운 액 표면에 유입되면 물이 수증기로 변하면서 부피팽창에 의해 유류가 탱크 외부로 분출하게 되는 현상

(3) 프로스오버(Froth Over)

저장탱크 속의 물이 점성이 뜨거운 기름 표면 아래에서 끓을 때 화재를 수반하지 않고 기름이 넘쳐흐르는 현상

9 가스탱크에서 발생하는 현상

(1) 블레비(BLEVE)

액화가스 저장탱크 주위에 화재가 발생하면 기상부 탱크 상부가 국부적으로 가열되고, 강도 저하에 따라 파열되어 내부의 가스가 분출되면서 화구를 형성, 폭발하는 것을 말한다.

핵/심/예/제

01 다음 중 연소와 가장 관련 있는 화학반응은? [20년 3회]

① 중화반응
② 치환반응
③ 환원반응
④ 산화반응

해설 연소 : 가연물이 공기 중에서 산소와 반응하여 열과 빛을 동반하는 산화현상(산화반응)

핵심예제

02 분자 내부에 니트로기를 갖고 있는 TNT, 니트로셀룰로오스 등과 같은 제5류 위험물의 연소 형태는? [21년 2회]

① 분해연소
② 자기연소
③ 증발연소
④ 표면연소

해설 연 소
- 고체의 연소
  - 표면연소 : 목탄, 코크스, 숯, 금속분 등이 열분해에 의하여 가연성 가스를 발생하지 않고 그 물질 자체가 연소하는 현상
  - 분해연소 : 석탄, 종이, 목재, 플라스틱 등의 연소 시 열분해에 의해 발생된 가스와 공기가 혼합하여 연소하는 현상
  - 증발연소 : 황, 나프탈렌, 촛불, 파라핀 등과 같이 고체를 가열하면 열분해는 일어나지 않고 고체가 액체로 되어 일정온도가 되면 액체가 기체로 변화하여 기체가 연소하는 현상
  - 자기연소(내부연소) : 제5류 위험물인 니트로셀룰로오스, 질화면 등 가연물과 산소를 동시에 가지고 있는 가연물이 연소하는 현상
- 액체의 연소
  - 증발연소 : 알코올, 아세톤, 휘발유, 등유, 경유와 같이 액체를 가열하면 증기가 되어 증기가 연소하는 현상
  - 액적연소 : 벙커C유와 같이 가열하여 점도를 낮추어 버너 등을 사용하여 액체의 입자를 안개상으로 분출하여 연소하는 현상

정답 1 ④ 2 ②

핵심예제

03 섭씨 30도는 랭킨(Rankine)온도로 나타내면 몇 도인가? [17년 1회]

① 546도 ② 515도

③ 498도 ④ 463도

해설 $R = 460 + [°F]$

$= 460 + \frac{9}{5}[℃] + 32$

$= 460 + \frac{9}{5} \times 30 + 32 = 546$

04 가연물이 연소가 잘 되기 위한 구비조건으로 틀린 것은? [17년 2회, 20년 1·2회]

① 열전도율이 클 것

② 산소와 화학적으로 친화력이 클 것

③ 표면적이 클 것

④ 활성화 에너지가 작을 것

해설 가연물의 조건

- 열전도율이 작을 것
- 발열량이 클 것
- 표면적이 넓을 것
- 산소와 친화력이 좋을 것
- 활성화 에너지가 작을 것

05 가연물질의 구비조건으로 옳지 않은 것은? [21년 1회]

① 화학적 활성이 클 것

② 열의 축적이 용이할 것

③ 활성화 에너지가 작을 것

④ 산소와 결합할 때 발열량이 작을 것

해설 4번 해설 참조

정답 3 ① 4 ① 5 ④

06 **다음 중 고체 가연물이 덩어리보다 가루일 때 연소되기 쉬운 이유로 가장 적합한 것은?**

[20년 3회]

① 발열량이 작아지기 때문이다.
② 공기와 접촉면이 커지기 때문이다.
③ 열전도율이 커지기 때문이다.
④ 활성화 에너지가 커지기 때문이다.

해설 4번 해설 참조

07 **조연성 가스에 해당하는 것은?** [18년 2회, 21년 1회, 2회]

① 일산화탄소
② 산 소
③ 수 소
④ 부 탄

해설 **조연성 가스** : 자신은 연소하지 않고 연소를 도와주는 가스 예 산소, 공기, 불소(플루오린), 염소 등

핵심
예제

08 **석유, 고무, 동물의 털, 가죽 등과 같이 황성분을 함유하고 있는 물질이 불완전연소될 때 발생하는 연소가스로 계란 썩는 듯한 냄새가 나는 기체는?** [19년 2회]

① 아황산가스
② 시안화수소
③ 황화수소
④ 암모니아

해설 **H_2S(황화수소)** : 황을 함유하는 유기화합물이 불완전 연소 시에 발생, 달걀 썩는 냄새가 나는 가스

정답 6 ② 7 ② 8 ③

핵심 예제

09 가연성 가스이면서도 독성 가스인 것은? [21년 1회]

① 질 소
② 수 소
③ 염 소
④ 황화수소

해설 황화수소(H_2S), 벤젠(C_6H_6)은 가연성 가스이면서 독성이다.

10 인화점이 낮은 것부터 높은 순서로 옳게 나열된 것은? [18년 2회, 21년 1회]

① 에틸알코올 < 이황화탄소 < 아세톤
② 이황화탄소 < 에틸알코올 < 아세톤
③ 에틸알코올 < 아세톤 < 이황화탄소
④ 이황화탄소 < 아세톤 < 에틸알코올

해설 이황화탄소 : −30[℃], 아세톤 : −18[℃], 에틸알코올 : 13[℃]

11 인화점이 20[℃]인 액체위험물을 보관하는 창고의 인화 위험성에 대한 설명 중 옳은 것은? [20년 3회]

① 여름철에 창고 안이 더워질수록 인화의 위험성이 커진다.
② 겨울철에 창고 안이 추워질수록 인화의 위험성이 커진다.
③ 20[℃]에서 가장 안전하고 20[℃]보다 높아지거나 낮아질수록 인화의 위험성이 커진다.
④ 인화의 위험성은 계절의 온도와는 상관없다.

해설 인화점 : 가연성 물질에 불꽃을 접하여 발화될 수 있는 최저의 온도
여름철 창고 안이 더워져 인화점(20[℃])에 도달하면 점화원에 의해 연소할 수 있으므로 위험한 상태가 된다.

9 ④ 10 ④ 11 ① 정답

12 다음 중 인화점이 가장 낮은 물질은? [19년 4회]

① 산화프로필렌　　② 이황화탄소
③ 메틸알코올　　④ 등 유

해설 제4류 위험물의 인화점

종 류	구 분	인화점
산화프로필렌	특수인화물	-37[℃]
이황화탄소	특수인화물	-30[℃]
메틸알코올	알코올류	11[℃]
등 유	제2석유류	40~70[℃]

13 다음 중 발화점이 가장 낮은 물질은? [20년 3회]

① 휘발유　　② 이황화탄소
③ 적 린　　④ 황 린

해설

종 류	발화점
휘발유	300[℃]
이황화탄소	100[℃]
적 린	260[℃]
황 린	34[℃] → 물속에 보관

14 자연발화 방지대책에 대한 설명 중 틀린 것은? [18년 2회, 20년 4회]

① 저장실의 온도를 낮게 유지한다.
② 저장실의 환기를 원활히 시킨다.
③ 촉매물질과의 접촉을 피한다.
④ 저장실의 습도를 높게 유지한다.

해설 자연발화 방지대책
- 통풍을 잘 시킬 것
- 습도를 낮게 할 것
- 주위의 온도를 낮출 것
- 불활성 가스를 주입하여 공기와 접촉을 피할 것
- 가능한 입자를 크게 할 것

정답 12 ① 13 ④ 14 ④

핵심 예제

15 불포화 섬유지나 석탄에 자연발화를 일으키는 원인은? [19년 4회]

① 분해열 ② 산화열
③ 발효열 ④ 중합열

해설 자연발화의 형태
- 산화열에 의한 발화 : 석탄, 건성유, 고무분말, 기름종이
- 분해열에 의한 발화 : 니트로셀룰로오스
- 미생물에 의한 발화 : 퇴비, 먼지
- 흡착열에 의한 발화 : 목탄, 활성탄
- 중합열에 의한 발화 : 시안화수소

16 질소 79.2[vol%], 산소 20.8[vol%]로 이루어진 공기의 평균분자량은? [17년 4회]

① 15.44 ② 20.21
③ 28.83 ④ 36.00

해설 공기의 평균분자량
- 분자량

종 류	질 소	산 소
분자식	N_2	O_2
분자량	28	32

- 평균분자량 = (28 × 0.792) + (32 × 0.208)
  = 28.83

17 증기비중의 정의로 옳은 것은?(단, 분자, 분모의 단위는 모두 [g/mol]이다) [19년 1회]

① $\frac{분자량}{22.4}$ ② $\frac{분자량}{29}$
③ $\frac{분자량}{44.8}$ ④ $\frac{분자량}{100}$

해설

$$증기비중 = \frac{분자량}{29(공기분자량)}$$

15 ② 16 ③ 17 ② 정답

18 공기의 평균분자량이 29일 때 이산화탄소 기체의 증기비중은 얼마인가?

[20년 1·2회, 3회]

① 1.44　　② 1.52
③ 2.88　　④ 3.24

해설

이산화탄소의 증기비중 $= \dfrac{\text{분자량}}{29} = \dfrac{44}{29} \fallingdotseq 1.52$

19 어떤 유기화합물을 원소 분석한 결과 중량백분율이 C : 39.9[%], H : 6.7[%], O : 53.4[%]인 경우 이 화합물의 분자식은?(단, 원자량은 C = 12, O = 16, H = 1이다)

[18년 4회]

① $C_3H_8O_2$　　② $C_2H_4O_2$
③ C_2H_4O　　④ $C_2H_6O_2$

해설

$$\frac{\text{중량백분율}}{\text{원자량}} = \overset{C}{\frac{39.9}{12}} : \overset{H}{\frac{6.7}{1}} : \overset{O}{\frac{53.4}{16}} = 3.325 : 6.7 : 3.33 = 1 : 2 : 1$$

$= CH_2O$

20 어떤 기체가 0[℃], 1기압에서 부피가 11.2[L], 기체질량이 22[g]이었다면 이 기체의 분자량은?(단, 이상기체로 가정한다)

[18년 4회]

① 22　　② 35
③ 44　　④ 56

해설

이상기체상태방정식 $PV = \dfrac{W}{M}RT$에서 분자량

$$M = \frac{WRT}{PV} = \frac{22 \times 0.082 \times 273}{1 \times 11.2} \fallingdotseq 44$$

정답 18 ② 19 ② 20 ③

21 0[℃], 1기압에서 44.8[m^3]의 용적을 가진 이산화탄소를 액화하여 얻을 수 있는 액화탄산가스의 무게는 약 몇 [kg]인가? [20년 1·2회]

① 88　　② 44
③ 22　　④ 11

해설

이상기체 상태방정식 $PV=nRT=\frac{W}{M}RT$에서

무게 : $W=\frac{PVM}{RT}=\frac{1\times 44.8\times 44}{0.082\times(273+0)}\fallingdotseq 88[\text{kg}]$

핵심 예제

22 다음 가연성 기체 1몰이 완전 연소하는 데 필요한 이론공기량으로 틀린 것은?(단, 체적비로 계산하며 공기 중 산소의 농도를 21[vol%]로 한다) [19년 2회]

① 수소 - 약 2.38몰
② 메탄 - 약 9.52몰
③ 아세틸렌 - 약 16.91몰
④ 프로판 - 약 23.81몰

해설

이론공기량

① 수 소

$H_2 + 1/2O_2 \rightarrow H_2O$

1[mol]　0.5[mol]

∴ 이론공기량 = 0.5[mol]/0.21 = 2.38[mol]

② 메 탄

$CH_4 + 2O_2 \rightarrow CO_2 + 2H_2O$

1[mol]　2[mol]

∴ 이론공기량 = 2[mol]/0.21 = 9.52[mol]

③ 아세틸렌

$C_2H_2 + 2.5O_2 \rightarrow 2CO_2 + H_2O$

1[mol]　2.5[mol]

∴ 이론공기량 = 2.5[mol]/0.21 = 11.90[mol]

④ 프로판

$C_3H_8 + 5O_2 \rightarrow 3CO_2 + 4H_2O$

1[mol]　5[mol]

∴ 이론공기량 = 5[mol]/0.21 = 23.81[mol]

21 ① 22 ③ 정답

23 할론가스 45[kg]과 함께 기동가스로 질소 2[kg]을 충전하였다. 이때 질소가스의 몰분율은?(단, 할론가스의 분자량은 149이다) [17년 1회]

① 0.19 ② 0.24
③ 0.31 ④ 0.39

해설
- n : 몰수$\left(\frac{W}{M}\right)$
- 할론가스 몰수 : $\frac{45}{149}$
- 질소가스 몰수 : $\frac{2}{28}$
- 몰분율 $= \dfrac{\dfrac{\text{각 성분의 무게}}{\text{분자량}}}{\dfrac{\text{각 성분의 무게}}{\text{분자량}}} = \dfrac{\dfrac{2[kg]}{28}}{\dfrac{45[kg]}{149} + \dfrac{2[kg]}{28}}$

$\fallingdotseq 0.19$

핵심예제

24 0[℃], 1[atm] 상태에서 부탄(C_4H_{10}) 1[mol]을 완전연소시키기 위해 필요한 산소의 [mol] 수는? [18년 1회]

① 2 ② 4
③ 5.5 ④ 6.5

해설 부탄 1[mol]을 완전연소시키기 위해 필요한 산소 : 6.5[mol]

$C_4H_{10} + 6.5O_2 \rightarrow 4CO_2 + 5H_2O$

1몰 6.5몰

25 비열이 가장 큰 물질은? [18년 4회]

① 구 리 ② 수 은
③ 물 ④ 철

해설 물의 비열은 1[cal/g·℃]로서 가장 크다.

정답 23 ① 24 ④ 25 ③

핵심 예제

26 다음 중 동일한 조건에서 증발잠열[kJ/kg]이 가장 큰 것은? [19년 2회]

① 질 소
② 할론 1301
③ 이산화탄소
④ 물

해설 비열과 증발잠열이 가장 큰 물질 : 물

27 1기압, 100[℃]에서의 물 1[g]의 기화잠열은 약 몇 [cal]인가? [17년 1회, 18년 1회, 21년 1회]

① 425
② 539
③ 647
④ 734

해설 표준상태에서 물의 기화잠열 : 539[cal]

28 물의 기화열이 539.6[cal/g]인 것은 어떤 의미인가? [19년 1회]

① 0[℃]의 물 1[g]이 얼음으로 변화하는 데 539.6[cal]의 열량이 필요하다.
② 0[℃]의 얼음 1[g]이 물로 변화하는 데 539.6[cal]의 열량이 필요하다.
③ 0[℃]의 물 1[g]이 100[℃]의 물로 변화하는 데 539.6[cal]의 열량이 필요하다.
④ 100[℃]의 물 1[g]이 수증기로 변화하는 데 539.6[cal]의 열량이 필요하다.

해설 물의 기화열은 100[℃]의 물 1[g]이 수증기로 변하는 데 539.6[cal/g]의 열량이 필요하다는 의미이다.

26 ④ 27 ② 28 ④ 정답

29 물의 소화능력에 관한 설명 중 틀린 것은? [19년 2회]

① 다른 물질보다 비열이 크다.
② 다른 물질보다 융해잠열이 작다.
③ 다른 물질보다 증발잠열이 크다.
④ 밀폐된 장소에서 증발가열되면 산소희석작용을 한다.

해설 **물소화약제의 장점**
- 인체에 무해하여 다른 약제와 혼합하여 수용액으로 사용할 수 있다.
- 가격이 저렴하고 장기 보존이 가능하다.
- 냉각의 효과가 우수하며 무상주수일 때는 질식, 유화효과가 있다.
- 비열과 증발잠열이 크며 많은 양을 구하기 쉽다.
- 물의 융해잠열 : 80[cal/g]
- 증발잠열 : 539[cal/g] → 냉각효과

30 물질의 취급 또는 위험성에 대한 설명 중 틀린 것은? [19년 1회]

① 융해열은 점화원이다.
② 질산은 물과 반응 시 발열 반응하므로 주의를 해야 한다.
③ 네온, 이산화탄소, 질소는 불연성 물질로 취급한다.
④ 암모니아를 충전하는 공업용 용기의 색상은 백색이다.

해설 **점화원이 될 수 없는 것** : 기화열, 액화열, 응고열, 융해열, 냉매 등

31 화재 시 발생하는 연소가스 중 인체에서 헤모글로빈과 결합하여 혈액의 산소운반을 저해하고 두통, 근육조절의 장애를 일으키는 것은? [20년 3회]

① CO_2
② CO
③ HCN
④ H_2S

해설 **일산화탄소(CO)** : 불완전 연소 시에 다량 발생, 혈액 중의 헤모글로빈(Hb)과 결합하여 혈액 중의 산소운반 능력을 저해하여 두통, 근육조절의 장애를 일으킨다.

정답 29 ② 30 ① 31 ②

32 독성이 매우 높은 가스로서 석유제품, 유지(油脂) 등이 연소할 때 생성되는 알데히드 계통의 가스는?

[19년 4회]

① 시안화수소
② 암모니아
③ 포스겐
④ 아크롤레인

해설 **아크롤레인** : 독성이 매우 높고, 석유제품이나 유지류 등이 연소할 때 생성되는 가스

33 다음 연소생성물 중 인체에 독성이 가장 높은 것은?

[21년 2회]

① 이산화탄소
② 일산화탄소
③ 수증기
④ 포스겐

해설 포스겐은 사염화탄소가 산소, 물과 반응할 때 발생하는 맹독성 가스로서 인체에 대한 독성이 가장 높다.
석유류가 연소할 때 생성되는 독성 화합물로는 아크롤레인이 있다.

34 TLV(Threshold Limit Value)가 가장 높은 가스는?

[18년 4회]

① 시안화수소
② 포스겐
③ 일산화탄소
④ 이산화탄소

해설 **허용농도(TLV)** : 성인 남성이 매일 8시간씩 주 5일을 연속해서 이 농도의 가스를 함유하고 있는 장소에서 작업해도 건강에 영향이 없는 농도(200[ppm] 이하 독성 가스)
- 시안화수소 : 10[ppm]
- 포스겐 : 0.1[ppm](독성이 심하다)
- 일산화탄소 : 50[ppm]
- 이산화탄소 : 5,000[ppm]

32 ④ 33 ④ 34 ④ 정답

35 정전기에 의한 발화과정으로 옳은 것은? [21년 2회]

① 방전 → 전하의 축적 → 전하의 발생 → 발화
② 전하의 발생 → 전하의 축적 → 방전 → 발화
③ 전하의 발생 → 방전 → 전하의 축적 → 발화
④ 전하의 축적 → 방전 → 전하의 발생 → 발화

해설 **정전기에 의한 발화과정**
전하의 발생 → 전하의 축적 → 방전 → 발화

36 열전도도(Thermal Conductivity)를 표시하는 단위에 해당하는 것은? [21년 2회]

① [J/m^2 · h]
② [kcal/h · ℃^{2}]
③ [W/m · K]
④ [J · K/m^3]

해설 전도열류 $q=\frac{K}{l}A\Delta T$

$K=\frac{ql}{A\Delta T}$

여기서, K : 열전도도
l : 두께[m]
A : 단면적[m^2]
ΔT : 온도차[K]
q : 전도열류[W]

그러므로 열전도도의 단위는

$\left[\frac{\mathrm{W \cdot m}}{\mathrm{m^2 \cdot K}}\right]=[\mathrm{W/m \cdot K}]$

37 다음 중 열전도율이 가장 작은 것은? [17년 2회]

① 알루미늄
② 철 재
③ 은
④ 암면(광물섬유)

해설 알루미늄(Al), 철재, 은(Ag)은 열전도율이 크고 암면은 열전도율이 적다.

정답 35 ② 36 ③ 37 ④

38 **Fourier법칙(전도)에 대한 설명으로 틀린 것은?** [18년 1회]

① 이동열량은 전열체의 단면적에 비례한다.
② 이동열량은 전열체의 두께에 비례한다.
③ 이동열량은 전열체의 열전도도에 비례한다.
④ 이동열량은 전열체 내·외부의 온도차에 비례한다.

해설 $q=\frac{KA\Delta T}{l}$

여기서, q : 열전달[W]
K : 열전도율[W/m·℃]
A : 단면적[m^2]
ΔT : 온도차[℃]
l : 벽의 두께[m]

핵심예제

39 **슈테판-볼츠만의 법칙에 의해 복사열과 절대온도와의 관계를 옳게 설명한 것은?** [21년 1회]

① 복사열은 절대온도의 제곱에 비례한다.
② 복사열은 절대온도의 4제곱에 비례한다.
③ 복사열은 절대온도의 제곱에 반비례한다.
④ 복사열은 절대온도의 4제곱에 반비례한다.

해설 **슈테판-볼츠만 법칙** : 복사열은 절대온도의 4제곱에 비례하고 열전달면적에 비례한다.
$E=\sigma T^4$
여기서, E : 복사에너지
σ : 슈테판-볼츠만 상수
T : 절대온도

40 **화재 표면온도(절대온도)가 2배로 되면 복사에너지는 몇 배로 증가되는가?** [19년 2회]

① 2
② 4
③ 8
④ 16

해설 **슈테판-볼츠만 법칙** : 복사열은 절대온도차의 4제곱에 비례하고 열전달면적에 비례한다.
복사에너지 $=2^4=16$(절대온도가 2배이므로 복사에너지는 4제곱에 비례)

정답 38 ② 39 ② 40 ④

41 물체의 표면온도가 250[℃]에서 650[℃]로 상승하면 열 복사량은 약 몇 배 정도 상승하는가? [18년 2회]

① 2.5
② 5.7
③ 7.5
④ 9.7

해설
$$q \propto T^4 = \frac{(273+650)^4}{(273+250)^4} = 9.7$$

42 표면온도가 300[℃]에서 안전하게 작동하도록 설계된 히터의 표면온도가 360[℃]로 상승하면 300[℃]에 비하여 약 몇 배의 열을 방출할 수 있는가? [17년 2회]

① 1.1배
② 1.5배
③ 2.0배
④ 2.5배

해설 복사열은 절대온도의 4제곱에 비례한다.
300[℃]에서 열량을 Q_1, 360[℃]에서 열량을 Q_2
$$\frac{Q_2}{Q_1} = \frac{(273+360)^4[\mathrm{K}]}{(273+300)^4[\mathrm{K}]} = 1.49$$

핵심 예제

43 고비점 유류의 탱크화재 시 열유층에 의해 탱크 아래의 물이 비등·팽창하여 유류를 탱크 외부로 분출시켜 화재를 확대시키는 현상은? [17년 1회, 18년 1회]

① 보일오버(Boil Over)
② 롤오버(Roll Over)
③ 백드래프트(Back Draft)
④ 플래시오버(Flash Over)

해설 **보일오버(Boil Over)**
유류탱크화재에서 비점이 낮은 다른 액체가 밑에 있는 경우에 열류층이 탱크 아래의 비점이 낮은 액체에 도달할 때 급격히 부피가 팽창하여 다량의 유류가 외부로 넘치는 현상

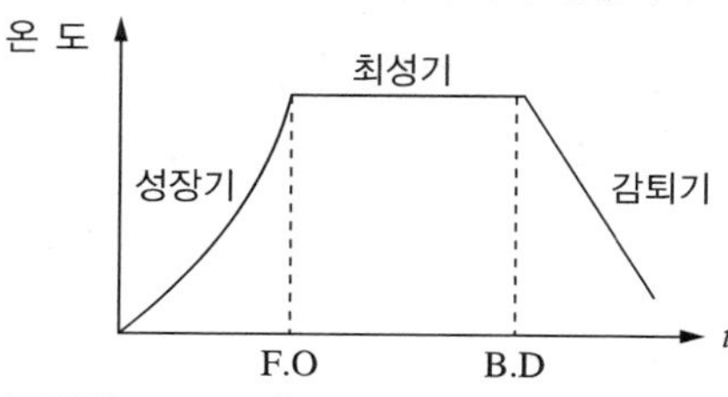

롤오버(Roll Over)
F.O 이전에 불꽃이 롤처럼 천장에 떠 있는 것

정답 41 ④ 42 ② 43 ①

44 탱크화재 시 발생되는 보일오버(Boil Over)의 방지방법으로 틀린 것은? [19년 2회]

① 탱크 내용물의 기계적 교반
② 물의 배출
③ 과열방지
④ 위험물 탱크 내의 하부에 냉각수 저장

해설 **보일오버(Boil Over)**

- 중질유탱크에서 장시간 조용히 연소하다가 탱크의 잔존기름이 갑자기 분출(Over Flow)하는 현상
- 유류탱크 바닥에 물 또는 물-기름에 에멀션이 섞여 있을 때 화재가 발생하는 현상
- 연소유면으로부터 100[℃] 이상의 열파가 탱크저부에 고여 있는 물을 비등하게 하면서 연소유를 탱크 밖으로 비산하며 연소하는 현상

핵심 예제

45 유류탱크 화재 시 기름 표면에 물을 살수하면 기름이 탱크 밖으로 비산하여 화재가 확대되는 현상은? [20년 1·2회]

① 슬롭오버(Slop Over)
② 플래시오버(Flash Over)
③ 프로스오버(Froth Over)
④ 블레비(BLEVE)

해설 **슬롭오버(Slop Over)** : 연소유면 화재 시 물을 살수하면 물과 기름이 탱크 밖으로 비산하여 화재가 확대되는 현상

46 유류탱크 화재 시 발생하는 슬롭오버(Slop Over) 현상에 관한 설명으로 틀린 것은? [17년 2회]

① 소화 시 외부에서 방사하는 포에 의해 발생한다.
② 연소유가 비산되어 탱크 외부까지 화재가 확산된다.
③ 탱크의 바닥에 고인 물의 비등 팽창에 의해 발생한다.
④ 연소면의 온도가 100[℃] 이상일 때 물을 주수하면 발생한다.

해설 **슬롭오버**

- 연소면의 온도가 100[℃] 이상일 때 발생
- 소화 시 외부에서 뿌려지는 물에 의하여 발생

보일오버

탱크 저부의 물이 급격히 증발하여 기름이 탱크 밖으로 화재를 동반하여 방출하는 현상

44 ④ 45 ① 46 ③ 정답

47 **BLEVE 현상을 설명한 것으로 가장 옳은 것은?** [19년 11회]

① 물이 뜨거운 기름표면 아래에서 끓을 때 화재를 수반하지 않고 Over Flow 되는 현상
② 물이 연소유의 뜨거운 표면에 들어갈 때 발생되는 Over Flow 현상
③ 탱크 바닥에 물과 기름의 에멀션이 섞여있을 때 물의 비등으로 인하여 급격하게 Over Flow 되는 현상
④ 탱크 주위 화재로 탱크 내 인화성 액체가 비등하고 가스부분의 압력이 상승하여 탱크가 파괴되고 폭발을 일으키는 현상

해설 블레비(BLEVE) : 액화가스 저장탱크 주위에 화재가 발생하면 기상부 탱크 상부가 국부적으로 가열되고, 강도 저하에 따라 파열되어 내부의 가스가 분출되면서 화구를 형성, 폭발하는 현상

48 **블레비(BLEVE) 현상과 관계가 없는 것은?** [21년 1회]

① 핵분열
② 가연성 액체
③ 화구(Fire Ball)의 형성
④ 복사열의 대량 방출

해설 블레비(BLEVE) 현상
- 정의 : 액화가스 저장탱크의 누설로 부유 또는 확산된 액화가스가 착화원과 접촉하여 공기 중으로 확산・폭발하는 현상
- 관련현상 : 가연성 액체, 화구의 형성, 복사열 대량 방출

정답 47 ④ 48 ①

제3절 열 및 연기의 이동과 특성

1 불의 성상

(1) 플래시오버(Flash Over) : 폭발적인 착화현상, 순발적인 연소확대 현상

① 특 징

㉠ 건축물의 구획 내 열전달에 의하여 전 구역이 일정한 온도에 도달 시 전 표면이 화염에 휩싸이고 불로 덮이는 현상이다.

㉡ 가연성 가스를 동반하는 연기와 유독가스가 방출되어 실내의 급격한 온도 상승으로 실내 전체가 순간적으로 연기가 충만해지는 현상

㉢ 옥내 화재가 서서히 진행되어 열이 축적되었다가 일시에 화염이 크게 발생하는 현상

㉣ 발생시기 : 성장기에서 최성기로 넘어가는 시기

㉤ 최성기시간 : 내화구조는 60분 후(950[℃]), 목조건물은 10분 후(1,100[℃]) 최성기에 도달

② 플래시오버에 영향을 미치는 인자

㉠ 개구부의 크기(개구율)

㉡ 가연물의 양과 종류

㉢ 내장재료

㉣ 실내의 표면적

㉤ 화원의 크기

㉥ 건축물의 형태

③ 플래시오버의 지연 대책

㉠ 두꺼운 내장재 사용

㉡ 열전도율이 큰 내장재 사용

㉢ 실내에 가연물 분산 적재

㉣ 개구부의 적당한 설치

(2) 백드래프트(Back Draft)

① 정 의

공기의 공급이 원활하지 못한 상태에서 화재 발생 시 산소부족으로 불꽃을 내지 못하고 가연성 가스만 축적되어 있는 상태에서 갑자기 문을 개방하면 신선한 공기 유입으로 폭발적인 연소가 시작되는 현상으로 감쇠기에 발생한다.

② 백드래프트 발생 시 나타나는 현상
　㉠ 건물벽체의 도괴
　㉡ 농연 발생 및 분출
　㉢ 파이어볼의 형성

(3) 플래시오버와 백드래프트의 비교

구 분 / 항 목	플래시오버	백드래프트
정 의	가연성 가스를 동반하는 연기와 유독가스가 방출하여 실내의 급격한 온도상승으로 실내 전체로 확산되어 연소하는 현상	밀폐된 공간에서 소방대가 화재진압을 위하여 화재실의 문을 개방할 때 신선한 공기유입으로 실내에 축적되었던 가연성 가스가 폭발적으로 연소함으로써 화재가 폭풍을 동반하여 실외로 분출되는 현상
발생시기	성장기(1단계)	감쇠기(3단계)
조 건	• 산소농도 : 10[%] • $CO_2/CO = 150$	실내가 충분히 가열하여 다량의 가연성 가스가 축적할 때
공급요인	열의 공급	산소의 공급
폭풍 혹은 충격파	수반하지 않는다.	수반한다.
피 해	• 인접 건축물에 대한 연소 확대 위험 • 개구부에서 화염 혹은 농연의 분출	• 파이어볼의 형성 • 농연의 분출
방지대책	• 가연물의 제한 • 개구부의 제한 • 천장의 불연화 • 화원의 억제	• 폭발력의 억제 • 격리 및 환기 • 소 화

2 연기의 성상

(1) 연 기

① 연기는 완전 연소되지 않는 가연물인 탄소 및 타르 입자가 떠돌아다니는 상태
② 탄소나 타르입자에 의해 연소가스가 눈에 보이는 것

(2) 연기의 이동속도

방 향	수평방향	수직방향	실내계단
이동속도	0.5~1.0[m/s]	2.0~3.0[m/s]	3.0~5.0[m/s]

(3) 연기의 특징

① 탄소를 많이 함유한 가연물일수록 검은 연기가 많이 나온다.
② 공기가 부족하면 불완전 연소 상태로 되어 짙은 연기 발생
③ 연기 입자의 크기 0.1~10[μm] 정도
④ 연기를 눈으로 볼 수 있는 이유는 탄소 및 타르 입자 때문이다.
⑤ 연기의 이동속도는 수직이동속도가 수평이동속도보다 빠르다.
⑥ 연소에 필요한 공기는 연기의 이동방향과 반대방향으로 이동한다.

(4) 연기의 제어방법

① **스프링클러설비에 의한 연기 제어** : 스프링클러설비를 설치하여 액체의 증발률과 고체의 분해율을 줄여 화재성장의 메커니즘을 늦추거나 끊어서 농도를 낮춘다.
② **구획화** : 칸막이를 설치하는 형태로, 수직벽으로 방화구획하거나 제연구획하여 연기 제어
③ **축연** : 청결층 이상의 공간 용적 및 천장이 충분하게 높은 경우 연기의 축적시간이 길어져 피난 시 유리함
④ **가압(차연)** : 부속실의 경우 외압보다 40[Pa] 이상 유지하는 등 차압을 가하여 연기의 침입 방지
⑤ **배연** : 연기를 실외로 배출하여 연기의 강하나 확산을 방지하고, 연기농도를 낮춘다.
⑥ **연기의 강하 방지** : 배연구를 최상부에 설치하고, 인입공기구를 하부에 설치하여 유입공기가 확실하게 청결층에 공급되게 하는 구조
⑦ **희석** : 피난이나 소화활동에 지장이 없도록 공기를 대량으로 유입시켜 연기농도를 희석함으로써 산소 농도 유지
⑧ **기류에 의한 연기 제어** : 온도 상승 시 기류가 위로 상승하게 되는데, 이러한 현상을 이용하여 연기 제어
⑨ **공조시스템에 의한 연기 제어** : 공조시스템과 제연설비를 겸용하여 화재 시 운전모드를 이용한 연기 제어

- 연기의 제어방식 : 희석, 배기, 차단
- 기계제연 : 1종(급기, 배기), 2종(급기), 3종(배기)

(5) 중성대

① **정의** : 화재가 발생하면 실내와 실외에 온도차가 발생하는데 실내와 실외의 압력이 같아지는 영역

② 중성대의 위쪽은 실내정압이 실외정압보다 높아 실내에서 실외로 공기가 유출되고 중성대 아래쪽에는 실외에서 실내로 공기가 유입된다.

③ 화재발생 시 온도가 높아질수록 중성대의 위치는 낮아지고 중성대가 낮아지면 외부로부터의 공기유입이 적어 연소가 활발하지 못하여 실온이 내려가 중성대는 다시 높아진다.

(6) 굴뚝효과(Stack Effect)

① 정의 : 건물의 외부온도가 실내온도보다 낮을 때에는 건물 내부의 공기는 밀도차에 의해 상부로 유동하고, 이로 인해 건물의 높이에 따라 어떤 압력차가 형성되는 현상

② 연기이동의 특성

㉠ 중성대 하부층에서 화재가 발생한 경우 연기는 건물의 심부로 침투하면서 상부층으로 이동하며, 연기 자체의 온도에 의한 부력으로 상승속도가 더욱 증가한다.

㉡ 중성대의 상부층에서 화재가 발생한 경우 연기는 건물외부로 누출되면서 상승하고 연기 자체온도에 의한 부력으로 상승속도가 더욱 증가한다.

③ 영향을 주는 요인

㉠ 건물의 높이

㉡ 외벽의 기밀성

㉢ 화재실의 온도

㉣ 건물 내・외부 온도차

㉤ 누설틈새

(7) 연기농도와 가시거리(감광계수 $\propto \frac{1}{\text{가시거리}}$)

감광계수[m^{-1}]	가시거리[m]	상 황
0.1	20~30	연기감지기가 작동할 때 농도, 건물 내 미숙지 자의 피난한계농도
0.3	5	건물 내부에 익숙한 사람이 피난에 지장을 느낄 정도의 농도
0.5	3	어둡다는 것을 느낄 정도의 농도
1	1~2	거의 앞이 보이지 않을 정도의 농도
10	0.2~0.5	화재 최성기 때의 농도
30	−	출화실에서 연기가 분출할 때의 농도

(8) 연기의 농도측정법

① **중량농도법** : 단위 체적당 연기의 입자무게를 측정하는 방법[mg/m^3]

② **입자농도법** : 단위 체적당 연기의 입자개수를 측정하는 방법[개/m^3]

③ **감광계수법** : 연기 속을 투과하는 빛의 양을 측정하는 방법(투과율)

※ 입자농도법과 중량농도법은 연기 색상과 관계가 없다.

제4절 건축물의 화재성상

1 목조건축물의 화재

(1) 목조건축물 특징

① 열전도율 : 목재의 열전도율은 콘크리트보다 적다.
② 수분함유량이 15[%] 이상이면 착화되기 어렵다.

(2) 목조건축물의 화재성상

목조건축물의 화재성상은 고온단기형이다.

(3) 목재의 연소과정

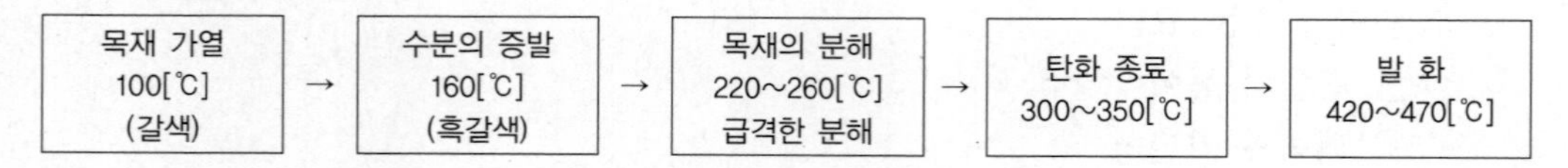

(4) 목조건축물의 화재 진행과정

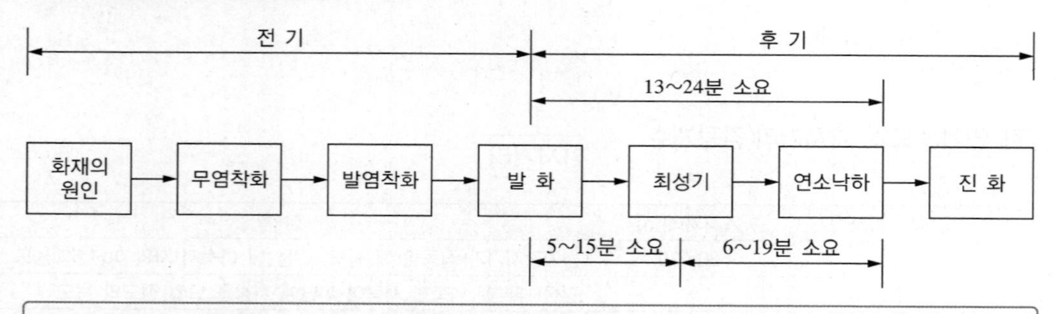

- 무염착화 : 가연물이 연소하면서 재로 덮인 숯불모양으로 불꽃없이 착화하는 현상
- 발염착화 : 무염상태의 가연물에 바람을 주어 불꽃이 발생되면서 착화하는 현상
- 최성기 온도 : 1,300[℃]

(5) 목재의 형태에 따른 연소상태

목재형태 \ 연소속도	빠르다	느리다
건조의 정도	수분이 적은 것	수분이 많은 것
두께와 크기	얇고 가는 것	두껍고 큰 것
형 상	각진 것	둥근 것
표 면	거친 것	매끄러운 것
색	검은색	백 색
페인트	칠한 것	칠하지 않은 것

(6) 목조건축물의 화재 확대요인

① 접염 : 화염 또는 열이 직접 접촉하여 불이 옮겨 붙는 것
② 복사열 : 복사파에 의하여 열이 고온에서 저온으로 이동하는 것(절대온도 4제곱에 비례)
③ 비화 : 화재현장에서 불꽃이 날아가 먼 지역까지 발화하는 현상

(7) 출화의 종류

① 옥내출화
㉠ 천장 및 벽 속 등에서 발염착화할 때
㉡ 불연천장인 경우 실내에서는 그 뒤판에 발염착화할 때
㉢ 가옥구조일 때 천장판에서 발염착화할 때
② 옥외출화
㉠ 창, 출입구 등에서 발염착화할 때
㉡ 목재가옥에서는 벽, 추녀 밑의 판자나 목재에 발염착화할 때

도괴방향법 : 출화가옥 등의 기둥, 벽 등은 발화부를 향하여 도괴하는 경향이 있으므로 이곳을 출화부로 추정하는 것

2 내화건축물의 화재

(1) 내화건축물의 화재성상

내화건축물의 화재성상은 저온장기형이다(최고온도 900~1,000[℃]).

건축물의 화재성상
• 내화건축물의 화재성상 : 저온장기형
• 목조건축물의 화재성상 : 고온단기형

(2) 내화건축물의 화재의 진행과정

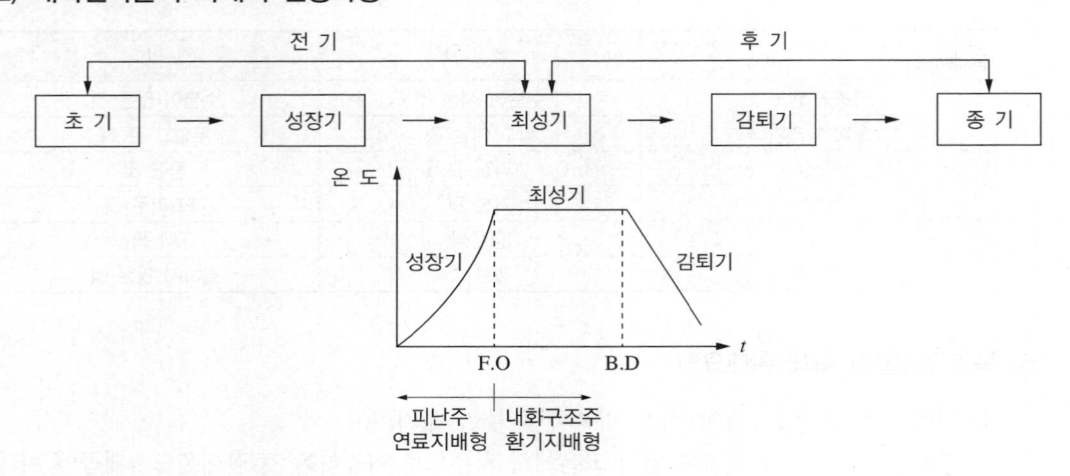

(3) 내화건축물 화재의 표준온도 곡선

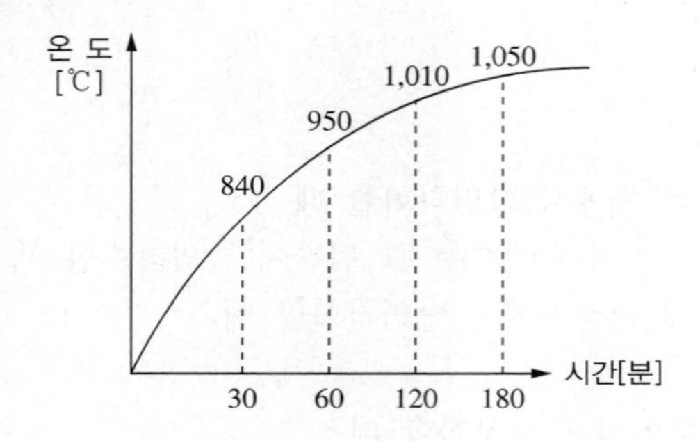

3 고분자물질(플라스틱)의 화재

(1) 고분자물질의 종류

① 열가소성 수지 : 열에 의하여 변형되는 수지(폴리에틸렌 수지, 폴리스티렌 수지, PVC 수지 등)

② 열경화성 수지 : 열에 의하여 굳어지는 수지(페놀 수지, 요소 수지, 멜라민 수지)

(2) 플라스틱의 연소과정

초기연소 → 연소증강 → 플래시오버 → 최성기 → 화재 확산

4 화재하중 및 화재가혹도

(1) 화재하중

단위 면적당 가연성 수용물의 양으로서 건물화재 시 발열량 및 화재의 위험성을 나타내는 용어이고, 화재의 규모를 결정하는 데 사용된다.

$$화재하중\ Q = \frac{\Sigma(G_t \times H_t)}{H \times A} = \frac{Q_t}{4{,}500 \times A}[\mathrm{kg/m^2}]$$

여기서, Q : 화재하중[kg/m²]

G_t : 가연물의 질량[kg]

H_t : 가연물의 단위 발열량[kcal/kg]

H : 목재의 단위 발열량(4,500[kcal/kg])

A : 화재실의 바닥면적[m²]

Q_t : 가연물의 전발열량[kcal]

(2) 화재강도에 영향을 미치는 인자

① 가연물의 비표면적
② 화재실의 구조
③ 가연물의 배열상태 및 발열량

(3) 화재가혹도(화재심도, Fire Severity)

① 발생한 화재가 해당 건물과 그 내부의 수용재산 등을 파괴하거나 손상을 입히는 능력의 정도로서 주수율[L/m² · min]을 결정하는 인자이다.

② 화재가혹도 = 최고온도 × 지속시간
화재 가혹도가 크면 그만큼 건물과 기타 재산의 손실은 커지고, 화재가혹도가 작으면 그 손실은 작아진다.

제5절 물질의 화재 위험

1 화재의 위험성

(1) 발화성(금수성) 물질

일정온도 이상에서 착화원이 없어도 스스로 연소하거나 물과 접촉하여 가연성 가스를 발생하는 물질

발화성 물질 : 황린, 나트륨, 칼륨, 금속분(마그네슘, 아연), 카바이드(탄화칼슘) 등

(2) 인화성 물질(제4류 위험물)

액체표면에서 증발된 가연성 증기와의 혼합기체에 의한 폭발 위험성을 가진 물질

인화성 물질 : 이황화탄소, 에테르, 아세톤, 가솔린, 등유, 경유, 중유 등

(3) 가연성 물질

15[℃], 1[atm]에서 기체상태인 가연성 가스

① 압축가스 : 상온에서 압축하여도 쉽게 액화되지 않는 가스
　예 수소, 질소, 산소 등
② 액화가스 : 상온, 낮은 압력에서 액화되는 가스
　예 LNG(액화천연가스, 메탄), LPG(액화석유가스, 프로판, 부탄), 암모니아, 염소 등
③ 불연성 가스 : 질소, 이산화탄소, 수증기, 아르곤
④ 조연성 가스 : 자신은 연소하지 않고 연소를 도와주는 가스
　예 산소, 공기, 불소(플루오린), 염소 등

(4) 산화성 물질

제1류 위험물(산화성 고체)과 제6류 위험물(산화성 액체)

(5) 폭발성 물질

니트로기($-NO_2$)가 있는 물질로서 강한 폭발성을 가진 물질

① 물리적 폭발 : 화산폭발, 진공용기의 과열폭발, 수증기폭발
② 화학적 폭발 : 산화폭발, 분해폭발, 중합폭발

> 폭발성 물질 : TNT(트리니트로톨루엔), 피크르산, 니트로메탄 등

2 위험물의 종류 및 성상

(1) 제1류 위험물

구 분	내 용
성 질	산화성 고체
품 명	• 아염소산염류, 염소산염류, 과염소산염류, 무기과산화물 • 브롬산염류, 질산염류, 요오드산염류 • 과망간산염류, 디크롬산염류
성 상	• 대부분 무색결정 또는 백색분말 • 비중이 1보다 크고 수용성이 많다. • 불연성이다.
소화방법	물에 의한 냉각소화(무기과산화물은 건조된 모래에 의한 질식소화)

(2) 제2류 위험물

구 분	내 용
성 질	가연성 고체(환원성 물질)
품 명	• 황화인, 적린, 유황 • 철분, 마그네슘, 금속분 • 인화성 고체
성 상	• 연소하기 쉬운 가연성 고체 • 강환원제이며 연소열량이 크다. • 금속분은 물과 산의 접촉 시 발열한다.
소화방법	물에 의한 냉각소화(금속분은 건조된 모래에 의한 피복소화)

> 마그네슘분말은 물과 반응하면 가연성 가스인 수소를 발생한다.
> $Mg + 2H_2O \rightarrow Mg(OH)_2 + H_2$

(3) 제3류 위험물

구 분	내 용
성 질	자연발화성 및 금수성 물질
품 명	• 칼륨, 나트륨, 알킬알루미늄, 알킬리튬 • 황 린 • 알칼리금속 및 알칼리토금속, 유기금속화합물 • 금속의 수소화합물, 금속의 인화물, 칼슘 또는 알루미늄의 탄화물
성 상	• 금수성 물질로서 물과의 접촉을 피한다(수소, 아세틸렌 등 가연성 가스 발생). • 황린은 물속에 저장(34[℃]에서 자연발화) • 산소와 결합력이 커서 자연발화한다.
소화방법	건조된 모래에 의한 소화(황린은 주수소화 가능) (알킬알루미늄은 팽창질석이나 팽창진주암으로 소화)

- 황린(발화온도 34[℃]), 이황화탄소 : 물속에 저장
- 칼륨, 나트륨 : 등유, 경유, 유동파라핀 속에 저장
- 니트로셀룰로오스 : 물 또는 알코올에 저장
- 아세틸렌 : 아세톤, 디메틸포름아미드 저장
- CaC_2(탄화칼슘) + $2H_2O$ → $Ca(OH)_2$ + C_2H_2(아세틸렌) 연소범위 大
- Ca_3P_2(인화칼슘) + $6H_2O$ → $3Ca(OH)_2$ + $2PH_3$(포스핀)

(4) 제4류 위험물

구 분	내 용
성 질	인화성 액체
품 명	• 특수인화물 • 제1석유류, 제2석유류, 제3석유류, 제4석유류 • 알코올류, 동식물유류
성 상	• 가연성 액체로서 대단히 인화되기 쉽다. • 증기는 공기보다 무겁다. • 액체는 물보다 가볍고 물에 녹기 어렵다. • 증기와 공기가 약간 혼합하여도 연소한다.
소화방법	포, CO_2, 할론, 분말에 의한 질식소화(수용성 액체는 내알코올용 포로 소화)

제4류 위험물 주수소화 금지 이유 : 화재면(연소면) 확대

① 특수인화물 : 에테르, 이황화탄소
② 제1석유류 : 가솔린, 아세톤
③ 제2석유류 : 등유, 경유, 클로로벤젠, 아세트산, 아크릴산
④ 제3석유류 : 중유, 크레오소트유
⑤ 제4석유류 : 기어유, 실린더유
⑥ 알코올류 : 메틸알코올(CH_3OH), 에틸알코올(C_2H_5OH)

(5) 제5류 위험물

구 분	내 용
성 질	자기반응성(내부연소성) 물질
품 명	• 유기과산화물, 질산에스테르류 • 니트로화합물, 아조화합물, 히드라진유도체 • 히드록실아민, 히드록실아민류
성 상	• 산소와 가연물을 동시에 가지고 있는 자기연소성 물질 • 연소속도가 빨라 폭발적이다. • 가열, 마찰, 충격에 의해 폭발성이 강하다.
소화방법	화재 초기에는 다량의 주수소화

(6) 제6류 위험물

구 분	내 용
성 질	산화성 액체
품 명	과염소산, 과산화수소, 질산, 할로겐간화합물
성 상	• 불연성 물질로서 강산화제이다. • 비중이 1보다 크고 물에 잘 녹는다.
소화방법	화재 초기에는 다량의 주수소화

핵/심/예/제

01 **실내화재에서 화재의 최성기에 돌입하기 전에 다량의 가연성 가스가 동시에 연소되면서 급격한 온도상승을 유발하는 현상은?** [20년 4회]

① 패닉(Panic)현상
② 스택(Stack)현상
③ 파이어볼(Fire Ball)현상
④ 플래시오버(Flash Over)현상

해설 **플래시오버(Flash Over)현상** : 실내화재에서 화재의 최성기에 돌입하기 전에 다량의 가연성 가스가 동시에 연소되면서 급격한 온도 상승을 유발하는 현상

02 **유류 저장탱크의 화재에서 일어날 수 있는 현상이 아닌 것은?** [17년 1회]

핵심예제

① 플래시오버(Flash Over)
② 보일오버(Boil Over)
③ 슬롭오버(Slop Over)
④ 프로스오버(Froth Over)

해설 **유류 저장탱크에 나타나는 현상** : 보일오버, 슬롭오버, 프로스오버

03 **화재발생 시 발생하는 연기에 대한 설명으로 틀린 것은?** [18년 2회]

① 연기의 유동속도는 수평방향이 수직방향보다 빠르다.
② 동일한 가연물에 있어 환기지배형 화재가 연료지배형 화재에 비하여 연기발생량이 많다.
③ 고온상태의 연기는 유동확산이 빨라 화재전파의 원인이 되기도 한다.
④ 연기는 일반적으로 불완전 연소 시에 발생한 고체, 액체, 기체 생성물의 집합체이다.

해설 **연기의 이동속도** : 수직방향이 수평방향보다 빠르다.

방 향	수평방향	수직방향	실내계단
이동속도	0.5~1.0[m/s]	2.0~3.0[m/s]	3.0~5.0[m/s]

1 ④ 2 ① 3 ① 정답

04 화재실의 연기를 옥외로 배출시키는 제연방식으로 효과가 가장 적은 것은? [18년 2회]

① 자연 제연방식
② 스모크 타워 제연방식
③ 기계식 제연방식
④ 냉난방설비를 이용한 제연방식

해설 **제연방식** : 자연 제연방식, 스모크 타워 제연방식, 기계식 제연방식

핵심 예제

05 고층 건축물 내 연기거동 중 굴뚝효과에 영향을 미치는 요소가 아닌 것은? [17년 1회]

① 건물 내·외의 온도차
② 화재실의 온도
③ 건물의 높이
④ 층의 면적

해설 **연돌효과와 관계있는 것**
- 건물 내외의 온도차
- 화재실의 온도
- 건물의 높이

$$\Delta P = 3{,}460H\left(\frac{1}{T_0} - \frac{1}{T_1}\right)$$

여기서, T_0 : 바깥온도
T_1 : 내부온도
H : 높이

정답 4 ④ 5 ④

06 실내 화재 시 발생한 연기로 인한 감광계수[m^{-1}]와 가시거리에 대한 설명 중 틀린 것은?

[20년 1·2회]

① 감광계수가 0.1일 때 가시거리는 20~30[m]이다.
② 감광계수가 0.3일 때 가시거리는 15~20[m]이다.
③ 감광계수가 1.0일 때 가시거리는 1~2[m]이다.
④ 감광계수가 10일 때 가시거리는 0.2~0.5[m]이다.

해설 **연기농도와 가시거리**

감광계수[m^{-1}]	가시거리[m]	상 황
0.1	20~30	연기감지기가 작동할 때 농도
0.3	5	건물 내부에 익숙한 사람이 피난할 정도의 농도
0.5	3	어두운 것을 느낄 정도의 농도
1	1~2	거의 앞이 보이지 않을 정도의 농도
10	0.2~0.5	화재 최성기 때의 농도
30	-	출화실에서 연기가 분출할 때의 농도

핵심예제

07 연기의 감광계수[m^{-1}]에 대한 설명으로 옳은 것은?

[17년 1회]

① 0.5는 거의 앞이 보이지 않을 정도이다.
② 10은 화재 최성기 때의 농도이다.
③ 0.5는 가시거리가 20~30[m] 정도이다.
④ 10은 연기감지기가 작동하기 직전의 농도이다.

해설 6번 해설 참조

6 ② 7 ② 정답

08 화재의 지속시간 및 온도에 따라 목재건물과 내화건물을 비교했을 때, 목재건물의 화재성상으로 가장 적합한 것은? [19년 4회, 21년 2회]

① 저온장기형이다.
② 저온단기형이다.
③ 고온장기형이다.
④ 고온단기형이다.

해설 **건축물의 화재성상**
• 내화건축물의 화재성상 : 저온, 장기형
• 목재건축물의 화재성상 : 고온, 단기형

09 다음 그림에서 목재건물의 표준 화재 온도-시간 곡선으로 옳은 것은? [18년 1회]

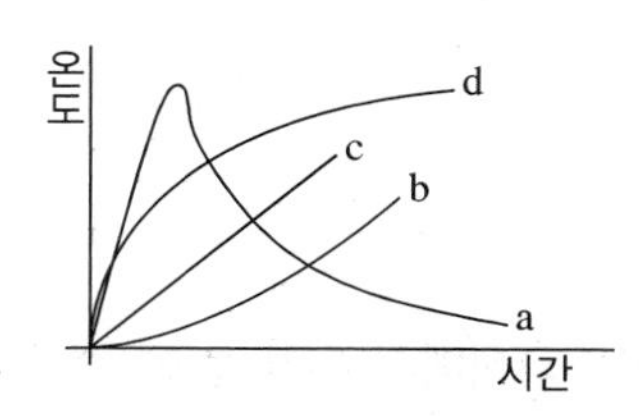

① a
② b
③ c
④ d

해설 • 목재건축물 : 고온단기형 → a
• 내화건축물 : 저온장기형 → d

정답 8 ④ 9 ①

10 목재건축물의 화재 진행상황에 관한 설명으로 옳은 것은? [19년 2회, 20년 4회]

① 화원 – 발연착화 – 무염착화 – 출화 – 최성기 – 소화
② 화원 – 발염착화 – 무염착화 – 소화 – 연소낙하
③ 화원 – 무염착화 – 발염착화 – 출화 – 최성기 – 소화
④ 화원 – 무염착화 – 출화 – 발염착화 – 최성기 – 소화

해설 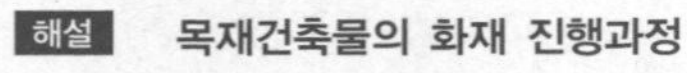
목재건축물의 화재 진행과정

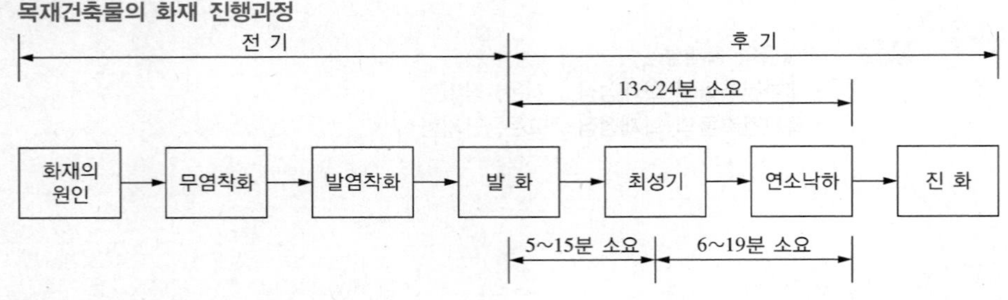

핵심
예제

11 건축물의 화재를 확산시키는 요인이라 볼 수 없는 것은? [19년 2회]

① 비 화
② 복사열
③ 자연발화
④ 접 염

해설 화재를 확산시키는 요인 : 비화, 접염, 복사열

12 건물화재의 표준시간-온도곡선에서 화재 발생 후 1시간이 경과할 경우 내부온도는 약 몇 [℃] 정도 되는가? [17년 2회]

① 225
② 625
③ 840
④ 925

해설 내화건축물의 표준온도곡선의 내부온도

시 간	30분 후	1시간 후	2시간 후	3시간 후
온 도	840[℃]	925[℃](950[℃])	1,010[℃]	1,050[℃]

10 ③ 11 ③ 12 ④ 정답

13 밀폐된 내화건물의 실내에 화재가 발생했을 때 그 실내의 환경변화에 대한 설명 중 틀린 것은? [20년 1·2회]

① 기압이 급강하한다.
② 산소가 감소된다.
③ 일산화탄소가 증가한다.
④ 이산화탄소가 증가한다.

해설 실내 화재 발생 시 온도 및 압력(기압)이 급상승한다.

14 고분자 재료와 열적 특성의 연결이 옳은 것은? [18년 1회]

① 폴리염화비닐 수지 - 열가소성
② 페놀 수지 - 열가소성
③ 폴리에틸렌 수지 - 열경화성
④ 멜라민 수지 - 열가소성

해설 수지의 종류
- 열가소성 수지 : 열에 의하여 변형되는 수지로서 폴리에틸렌, PVC, 폴리스티렌 수지 등
- 열경화성 수지 : 열에 의하여 굳어지는 수지로서 페놀 수지, 요소 수지, 멜라민 수지

15 일반적인 플라스틱 분류상 열경화성 플라스틱에 해당하는 것은? [20년 4회]

① 폴리에틸렌
② 폴리염화비닐
③ 페놀 수지
④ 폴리스티렌

해설 14번 해설 참조

정답 13 ① 14 ① 15 ③

16 다음 물질 중 연소하였을 때 시안화수소를 가장 많이 발생시키는 물질은? [20년 1·2회]

① Polyethylene
② Polyurethane
③ Polyvinyl Chloride
④ Polystyrene

해설 시안화수소(HCN) : 폴리우레탄 연소 시 가장 많이 발생

17 화재강도(Fire Intensity)와 관계가 없는 것은? [19년 4회]

① 가연물의 비표면적
② 발화원의 온도
③ 화재실의 구조
④ 가연물의 발열량

핵심예제

해설 화재강도에 영향을 미치는 인자
- 가연물의 비표면적
- 화재실의 구조
- 가연물의 배열상태 및 발열량

18 화재하중의 단위로 옳은 것은? [20년 3회]

① [kg/m^2]
② [℃/m^2]
③ [kg · L/m^3]
④ [℃ · L/m^3]

해설 화재하중

$$Q = \frac{\sum(G_t \times H_t)}{H \times A} = \frac{Q_t}{4{,}500 \times A} \text{[kg/m}^2\text{]}$$

여기서, G_t : 가연물의 질량[kg]
H_t : 가연물의 단위 발열량[kcal/kg]
H : 목재의 단위 발열량(4,500[kcal/kg])
A : 화재실의 바닥면적[m^2]
Q_t : 가연물의 전발열량[kcal]

16 ② 17 ② 18 ① 정답

19 화재하중에 대한 설명 중 틀린 것은? [19년 1회]

① 화재하중이 크면 단위 면적당의 발열량이 크다.
② 화재하중이 크다는 것은 화재구획의 공간이 넓다는 것이다.
③ 화재하중이 같더라도 물질의 상태에 따라 가혹도는 달라진다.
④ 화재하중은 화재구획실 내의 가연물 총량을 목재 중량당비로 환산하여 면적으로 나눈 수치이다.

해설 **화재하중**

$$Q = \frac{\sum(G_t \times H_t)}{H \times A} = \frac{Q_t}{4,500 \times A}$$

여기서, Q : 하재하중[kg/m^2]
G_t : 가연물의 질량[kg]
H_t : 가연물의 단위 발열량[kcal/kg]
H : 목재의 단위 발열량(4,500[kcal/kg])
A : 화재실의 바닥면적[m^2]
Q_t : 가연물의 전발열량[kcal]

따라서, 화재하중과 화재실 면적은 반비례하므로 공간이 좁은 곳에 가연물이 많을수록 화재하중은 커진다.

핵심예제

20 방호공간 안에서 화재의 세기를 나타내고 화재가 진행되는 과정에서 온도에 따라 변하는 것으로 온도-시간 곡선으로 표시할 수 있는 것은? [19년 2회]

① 화재저항
② 화재가혹도
③ 화재하중
④ 화재플룸

해설 **화재가혹도** : 방호공간 안에서 화재의 세기를 나타내며, 온도-시간 곡선으로 표시할 수 있다.
화재가혹도 = 최고온도 × 지속시간

21 불활성 가스에 해당하는 것은? [19년 1회]

① 수증기
② 일산화탄소
③ 아르곤
④ 아세틸렌

해설 **불활성 가스** : 헬륨(He), 네온(Ne), 아르곤(Ar), 크립톤(Kr), 제논(Xe), 라돈(Rn)

정답 19 ② 20 ② 21 ③

22 염소산염류, 과염소산염류, 알칼리금속의 과산화물, 질산염류, 과망간산염류의 특징과 화재 시 소화방법에 대한 설명 중 틀린 것은? [18년 1회]

① 가열 등에 의해 분해하여 산소를 발생하고 화재 시 산소의 공급원 역할을 한다.
② 가연물, 유기물, 기타 산화하기 쉬운 물질과 혼합물은 가열, 충격, 마찰 등에 의해 폭발하는 수도 있다.
③ 알칼리금속의 과산화물을 제외하고 다량의 물로 냉각소화한다.
④ 그 자체가 가연성이며 폭발성을 지니고 있어 화약류 취급 시와 같이 주의를 요한다.

해설 **제5류 위험물(자기연소성)** : 그 자체가 가연성이며 폭발성을 지니고 있어 화약류 취급 시와 같이 주의를 요하는 것

23 다음 중 연소 시 아황산가스를 발생시키는 것은? [17년 2회]

핵심예제

① 적 린
② 유 황
③ 트리에틸알루미늄
④ 황 린

해설
- $4P + 5O_2 \rightarrow 2P_2O_5$
- $S + O_2 \rightarrow SO_2$(아황산가스, 이산화황)
- $2(C_2H_5)_3Al \rightarrow 2Al + 3H_2 + 6C_2H_4$
- $P_4 + 5O_2 \rightarrow 2P_2O_5$

24 제2류 위험물에 해당하는 것은? [18년 2회]

① 유 황
② 질산칼륨
③ 칼 륨
④ 톨루엔

해설 **제2류 위험물** : 유황, 황화인, 적린, 금속분, 철분, 마그네슘

22 ④ 23 ② 24 ① 정답

25 위험물의 유별 성질이 자연발화성 및 금수성 물질은 제 몇 류 위험물인가? [17년 2회]

① 제1류 위험물
② 제2류 위험물
③ 제3류 위험물
④ 제4류 위험물

해설 유별 성질

종 류	성 질
제1류 위험물	산화성 고체
제2류 위험물	가연성 고체
제3류 위험물	자연발화성 및 금수성 물질
제4류 위험물	인화성 액체
제5류 위험물	자기반응성 물질
제6류 위험물	산화성 액체

26 제3류 위험물로서 자연발화성만 있고 금수성이 없기 때문에 물속에 보관하는 물질은? [17년 4회]

① 염소산암모늄
② 황 린
③ 칼 륨
④ 질 산

해설 황린(P_4) : 제3류 위험물로서 자연발화성 물질이고 물속에 보관한다(발화점 : 34[℃]).

27 pH 9 정도의 물을 보호액으로 하여 보호액 속에 저장하는 물질은? [18년 1회]

① 나트륨
② 탄화칼슘
③ 칼 륨
④ 황 린

해설 황린, 이황화탄소 : 물속에 저장
칼륨, 나트륨 : 석유 속에 저장

정답 25 ③ 26 ② 27 ④

28 물속에 넣어 저장하는 것이 안전한 물질은? [21년 1회]

① 나트륨
② 수소화칼슘
③ 이황화탄소
④ 탄화칼슘

해설 **위험물별 저장방법**
- 황린, 이황화탄소 : 물속에 저장
- 칼륨, 나트륨 : 석유(등유), 경유 속에 저장
- 니트로셀룰로오스 : 물 또는 알코올 속에 저장
- 아세틸렌 : DMF(디메틸포름아미드), 아세톤에 저장(분해폭발방지)

핵심
예제

29 다음 중 발화점이 가장 낮은 물질은? [18년 1회, 20년 3회]

① 휘발유
② 이황화탄소
③ 적 린
④ 황 린

해설 **발화점(발화온도)**
- 휘발유 : 300[℃]
- 이황화탄소 : 100[℃]
- 적린 : 260[℃]
- 황린 : 34[℃]

30 제2류 위험물에 해당하지 않는 것은? [19년 1회]

① 유 황
② 황화인
③ 적 린
④ 황 린

해설 황린은 제3류 위험물로서 물속에 저장한다.

28 ③ 29 ④ 30 ④ 정답

31 다음 물질의 저장창고에서 화재가 발생하였을 때 주수소화를 할 수 없는 물질은?

[20년 1·2회]

① 부틸리튬
② 질산에틸
③ 니트로셀룰로오스
④ 적 린

해설
- 부틸리튬 : 제3류 위험물(금수성 물질) → 주수소화 시 가연성 가스 발생
- 질산에틸, 니트로셀룰로오스 : 제5류 위험물(자기반응성 물질) → 주수소화
- 적린 : 제2류 위험물(가연성 고체) → 주수소화

32 공기 중에서 자연발화 위험성이 높은 물질은?

[17년 1회]

① 벤 젠
② 톨루엔
③ 이황화탄소
④ 트리에틸알루미늄

해설 위험물의 성질

종 류	성 질
벤젠(제4류 위험물 제1석유류)	인화성 액체
톨루엔(제4류 위험물 제1석유류)	인화성 액체
이황화탄소(제4류 위험물 특수인화물)	인화성 액체
트리에틸알루미늄(제3류 위험물)	자연발화성 물질

33 탄화칼슘의 화재 시 물을 주수하였을 때 발생하는 가스로 옳은 것은?

[17년 2회, 19년 1회]

① C_2H_2
② H_2
③ O_2
④ C_2H_6

해설 탄화칼슘과 물의 반응

$CaC_2 + 2H_2O \rightarrow Ca(OH)_2 + C_2H_2 \uparrow$

수산화칼슘 아세틸렌

정답 31 ① 32 ④ 33 ①

핵심예제

34 제4류 위험물의 물리·화학적 특성에 대한 설명으로 틀린 것은? [18년 4회]

① 증기비중은 공기보다 크다.
② 정전기에 의한 화재발생위험이 있다.
③ 인화성 액체이다.
④ 인화점이 높을수록 증기발생이 용이하다.

해설 인화점이 낮을수록 증기발생이 용이해진다.
제4류 위험물 : 인화성 액체(유류)

35 다음 위험물 중 특수인화물이 아닌 것은? [19년 2회]

① 아세톤
② 디에틸에테르
③ 산화프로필렌
④ 아세트알데히드

해설 **아세톤** : 용제가스(아세틸렌을 저장하는 가스)

36 위험물안전관리법령상 제2석유류에 해당하는 것으로만 나열된 것은? [20년 1·2회]

① 아세톤, 벤젠
② 중유, 아닐린
③ 에테르, 이황화탄소
④ 아세트산, 아크릴산

해설 **제2석유류** : 등유, 경유, 아세트산, 아크릴산 등
① 제1석유류
② 제3석유류
③ 특수인화물

34 ④ 35 ① 36 ④ 정답

37 경유화재가 발생했을 때 주수소화가 오히려 위험할 수 있는 이유는? [18년 1회]

① 경유는 물과 반응하여 유독가스를 발생하므로
② 경유의 연소열로 인하여 산소가 방출되어 연소를 돕기 때문에
③ 경유는 물보다 비중이 가벼워 화재면의 확대 우려가 있으므로
④ 경유가 연소할 때 수소가스를 발생하여 연소를 돕기 때문에

해설 경유는 물보다 가볍고 섞이지 않으므로 주수소화를 하면 화재면이 확대할 우려가 있어 위험하다.

38 다음 중 착화온도가 가장 낮은 것은? [17년 1회]

① 에틸알코올
② 톨루엔
③ 등 유
④ 가솔린

해설 착화온도

종 류	착화온도[℃]
에틸알코올(알코올류)	423
톨루엔(제1석유류)	552
등유(제2석유류)	220
가솔린(제1석유류)	300

39 과산화수소와 과염소산의 공통성질이 아닌 것은? [20년 1회]

① 산화성 액체이다.
② 유기화합물이다.
③ 불연성 물질이다.
④ 비중이 1보다 크다.

해설 과산화수소와 과염소산의 공통점
- 제6류 위험물(산화성 액체)이다.
- 불연성 물질이다.
- 비중이 1보다 모두 크다.

정답 37 ③ 38 ③ 39 ②

핵심예제

40 위험물안전관리법령에서 정하는 위험물의 한계에 대한 정의로 틀린 것은? [18년 1회]

① 유황은 순도가 60[wt%] 이상인 것
② 인화성 고체는 고형알코올 그 밖에 1기압에서 인화점이 섭씨 40도 미만인 고체
③ 과산화수소는 그 농도가 35[wt%] 이상인 것
④ 제1석유류는 아세톤, 휘발유 그 밖에 1기압에서 인화점이 섭씨 21도 미만인 것

해설 과산화수소는 그 농도가 36[wt%] 이상이면 제6류 위험물로 취급한다.

41 위험물안전관리법령상 위험물의 지정수량이 틀린 것은? [19년 1회]

① 과산화나트륨 - 50[kg]
② 적린 - 100[kg]
③ 트리니트로톨루엔 - 200[kg]
④ 탄화알루미늄 - 400[kg]

해설

위험물	지정수량
과산화나트륨	50[kg]
적 린	100[kg]
트리니트로톨루엔	200[kg]
탄화알루미늄	300[kg]

42 위험물과 위험물안전관리법령에서 정한 지정수량을 옳게 연결한 것은? [20년 3회]

① 무기과산화물 - 300[kg]
② 황화인 - 500[kg]
③ 황린 - 20[kg]
④ 질산에스테르류 - 200[kg]

해설 위험물 지정수량

종 류	지정수량
무기과산화물	50[kg]
황화인	100[kg]
황 린	20[kg]
질산에스테르류	10[kg]

40 ③ 41 ④ 42 ③ 정답

43 위험물안전관리법령상 위험물에 대한 설명으로 옳은 것은?

[21년 2회]

① 과염소산은 위험물이 아니다.
② 황린은 제2류 위험물이다.
③ 황화인의 지정수량은 100[kg]이다.
④ 산화성 고체는 제6류 위험물의 성질이다.

해설
- 과산화수소, 질산, 과염소산 : 제6류 위험물(산화성 액체)
- 황린 : 제3류 위험물(자연발화성 물질)
  - 지정수량 20[kg]
  - 물속에 저장
  - 수소화합물과 반응하면 포스핀가스 생성
- 황화인 : 제2류 위험물(가연성 고체)
  - 지정수량 100[kg]
  - 유황순도 60[wt%] 이상일 것
  - 물에 녹지 않는다.
- 산화성 고체 : 제1류 위험물

핵심
예제

44 위험물의 저장 방법으로 틀린 것은?

[17년 1회]

① 금속나트륨 – 석유류에 저장
② 이황화탄소 – 수조 물탱크에 저장
③ 알킬알루미늄 – 벤젠액에 희석하여 저장
④ 산화프로필렌 – 구리 용기에 넣고 불연성 가스를 봉입하여 저장

해설 **산화프로필렌, 아세트알데히드** : 구리, 마그네슘, 수은, 은과의 접촉을 피하고, 불연성 가스를 불입하여 저장한다.

① 제3류 위험물 : 석유류에 저장(경유, 등유, 유동파라핀)
② 제4류 위험물(CS_2) : 물속 저장
③ 제3류 위험물 : 제4류 위험물에 저장
④ (산화프로필렌, 아세트알데히드, 아세틸렌) : 은, 수은, 동, 마그네슘

아세틸라이드(가연성 폭발성 금속) → 유리병에 저장

정답 43 ③ 44 ④

45 위험물별 저장방법에 대한 설명 중 틀린 것은? [21년 1회]

① 유황은 정전기가 축적되지 않도록 하여 저장한다.
② 적린은 화기로부터 격리하여 저장한다.
③ 마그네슘은 건조하면 부유하여 분진폭발의 위험이 있으므로 물에 적시어 보관한다.
④ 황화인은 산화제와 격리하여 저장한다.

해설 마그네슘은 분진폭발의 위험이 있고 물과 반응하면 가연성 가스인 수소를 발생하므로 위험하다.
$Mg + 2H_2O \rightarrow Mg(OH)_2 + H_2$

46 위험물안전관리법령상 제6류 위험물을 수납하는 운반용기의 외부에 주의사항을 표시하여야 할 경우, 어떤 내용을 표시하여야 하는가? [21년 2회]

① 물기엄금
② 화기엄금
③ 화기주의・충격주의
④ 가연물접촉주의

해설 주의사항을 표시한 게시판 설치

주의사항	위험물의 종류
물기엄금	제1류 위험물 : 알칼리금속의 과산화물 제2류 위험물 : 철분, 금속분, 마그네슘 제3류 위험물 : 금수성 물질
화기엄금	제2류 위험물(인화성 고체) : 황화인, 적린, 유황 제3류 위험물 중 자연발화성 물질 제4류 위험물 제5류 위험물
화기・충격주의	제1류 위험물 : 알칼리금속의 과산화물 제5류 위험물 : 화기엄금, 충격주의
가연물접촉주의	제6류 위험물(산화성 액체)

47 도장작업 공정에서의 위험도를 설명한 것으로 틀린 것은? [19년 2회]

① 도장작업 그 자체 못지않게 건조공정도 위험하다.
② 도장작업에서는 인화성 용제가 쓰이지 않으므로 폭발의 위험이 없다.
③ 도장작업장은 폭발 시를 대비하여 지붕을 시공한다.
④ 도장실의 환기덕트를 주기적으로 청소하여 도료가 덕트 내에 부착되지 않게 한다.

해설 도장 작업 시 인화성 용제가 많이 사용되므로 폭발의 위험이 높다.

정답 45 ③ 46 ④ 47 ②

CHAPTER 02 방화론

제 1 절 건축물의 내화성상

1 건축물의 내화구조, 방화구조

(1) 내화구조

내화 구분		내화구조의 기준
벽	모든 벽	• 철근콘크리트조 또는 철골・철근콘크리트조로서 두께가 10[cm] 이상인 것 • 골구를 철골조로 하고 그 양면을 두께 4[cm] 이상의 철망모르타르로 덮은 것 • 두께 5[cm] 이상의 콘크리트 블록・벽돌 또는 석재로 덮은 것 • 철재로 보강된 콘크리트 블록조・벽돌조 또는 석조로서 철재에 덮은 콘크리트 블록 등의 두께가 5[cm] 이상인 것 • 벽돌조로서 두께가 19[cm] 이상인 것
	외벽 중 비내력벽	• 철근콘크리트조 또는 철골・철근콘크리트조로서 두께가 7[cm] 이상인 것 • 골구를 철골조로 하고 그 양면을 두께 3[cm] 이상의 철망모르타르 또는 두께 4[cm] 이상의 콘크리트 블록・벽돌 또는 석재로 덮은 것 • 무근콘크리트조, 콘크리트 블록조・벽돌조 또는 석조로서 두께가 7[cm] 이상인 것
기둥(작은 지름이 25[cm] 이상인 것)		• 철골을 두께 5[cm] 이상의 콘크리트로 덮은 것 • 철골을 두께 6[cm] 이상의 철망모르타르로 덮은 것 • 철골을 두께 7[cm] 이상의 콘크리트 블록・벽돌 또는 석재로 덮은 것
바 닥		• 철근콘크리트조 또는 철골・철근콘크리트조로서 두께가 10[cm] 이상인 것 • 철재의 양면을 두께 5[cm] 이상의 철망모르타르 또는 콘크리트로 덮은 것 • 철재로 보강된 콘크리트 블록조・벽돌조 또는 석조로서 철재에 덮은 콘크리트 블록 등의 두께가 5[cm] 이상인 것
보		• 철골을 두께 6[cm] 이상의 철망모르타르로 덮은 것 • 철골을 두께 5[cm] 이상의 콘크리트조로 덮은 것 • 철골조의 지붕틀로서 바로 아래에 반자가 없거나 불연재료로 된 반자가 있는 것

(2) 방화구조

① 철망모르타르로서 그 바름두께가 2[cm] 이상인 것

② 석고판 위에 시멘트모르타르 또는 회반죽을 바른 것으로서 그 두께의 합계가 2.5[cm] 이상인 것

③ 시멘트모르타르 위에 타일을 붙인 것으로서 그 두께의 합계가 2.5[cm] 이상인 것

④ 심벽에 흙으로 맞벽치기한 것

2 건축물의 방화 및 피난

(1) 방화벽

화재 시 연소의 확산을 막고 피해를 줄이기 위해 주로 목조건출물에 설치하는 벽

① 내화구조로서 홀로 설 수 있는 구조일 것
② 방화벽의 양쪽 끝과 위쪽 끝을 건축물의 외벽면 및 지붕면으로부터 0.5[m] 이상 튀어 나오게 할 것
③ 방화벽에 설치하는 출입문의 너비 및 높이는 각각 2.5[m] 이하로 하고, 해당 출입문에는 60분+ 방화문 또는 60분 방화문을 설치할 것

(2) 방화문

구 분	정 의
60분+ 방화문	연기 및 불꽃을 차단할 수 있는 시간이 60분 이상이고, 열을 차단할 수 있는 시간이 30분 이상인 방화문
60분 방화문	연기 및 불꽃을 차단할 수 있는 시간이 60분 이상인 방화문
30분 방화문	연기 및 불꽃을 차단할 수 있는 시간이 30분 이상 60분 미만인 방화문

(3) 피난계단

① 건축물의 바깥쪽에 설치하는 피난계단의 유효너비 : 0.9[m] 이상
② 건축물의 내부에 설치하는 피난계단 구조
㉠ 계단실은 창문·출입구 기타 개구부(이하 "창문 등"이라 한다)를 제외한 해당 건축물의 다른 부분과 내화구조의 벽으로 구획할 것
㉡ 계단실의 실내에 접하는 부분(바닥 및 반자 등 실내에 면한 모든 부분을 말한다)의 마감은 불연재료로 할 것
㉢ 계단실에는 예비전원에 의한 조명설비를 할 것
㉣ 계단의 유효너비는 0.9[m] 이상으로 할 것
㉤ 계단은 내화구조로 하고 지상까지 직접 연결되도록 할 것

(4) 피난층

곧바로 지상으로 갈 수 있는 출입구가 있는 층

(5) 무창층

개구부의 면적의 합계가 해당 층 바닥면적의 1/30 이하가 되는 층

① 크기는 지름 50[cm] 이상의 원이 내접할 수 있는 크기일 것
② 해당 층의 바닥면으로부터 개구부 밑부분까지의 높이가 1.2[m] 이하일 것
③ 도로 또는 차량이 진입할 수 있는 빈터를 향할 것
④ 화재 시 건축물로부터 쉽게 피난할 수 있도록 창살이나 그 밖의 장애물이 설치되지 아니할 것
⑤ 내부 또는 외부에서 쉽게 부수거나 열 수 있을 것

(6) 지하층

건축물의 바닥이 지표면 아래에 있는 층으로서 바닥에서 지표면까지의 평균높이가 해당 층 높이의 1/2 이상인 것

3 건축물의 주요구조부 불연재료 등

(1) 주요구조부

내력벽, 기둥, 바닥, 보, 지붕틀, 주계단

주요구조부 제외 : 사잇벽, 사잇기둥, 최하층 바닥, 작은 보, 차양, 옥외계단 등

(2) 불연재료 등

① **불연재료** : 콘크리트, 석재, 벽돌, 기와, 석면판, 철강, 유리, 알루미늄, 시멘트모르타르, 회 등 불에 타지 않는 성질을 가진 재료(난연 1급)
② **준불연재료** : 불연재료에 준하는 성질을 가진 재료(난연 2급)
③ **난연재료** : 불에 잘 타지 않는 성질을 가진 재료(난연 3급)

4 건축물의 방화구획

(1) 방화구획의 설치기준

구획종류	구획기준		구획부분의 구조
면적별 구획	10층 이하의 층	• 바닥면적 1,000[m^2] 이내마다 구획 • 자동식 소화설비(스프링클러설비) 설치 시 바닥면적 3,000[m^2] 이내마다 구획	내화구조의 바닥 및 벽, 방화문 또는 자동방화셔터로 구획
	11층 이상의 층	• 바닥면적 200[m^2] 이내마다 구획 • 자동식 소화설비(스프링클러설비) 설치 시 바닥면적 600[m^2] 이내마다 구획 • 벽 및 반자의 실내에 접하는 마감이 불연재인 경우 바닥면적 500[m^2] 이내마다 구획 • 벽 및 반자의 실내에 접하는 마감이 불연재이면서 자동식 소화설비(스프링클러설비) 설치 시 바닥면적 1,500[m^2] 이내마다 구획	
층별 구획	매 층마다 구획(단, 지하 1층에서 지상으로 직접 연결하는 경사로 부위는 제외)		
기 타	주요구조부 내화구조 대상에 해당하는 각 용도와 기타 부분 사이		

① 연소확대방지를 위한 방화구획
   ㉠ 층 또는 면적별로 구획
   ㉡ 위험용도별 구획
   ㉢ 방화댐퍼 구획

② 고층건축물의 방화계획
   ㉠ 발화요인을 줄인다.
   ㉡ 화재 확대방지를 위하여 구획한다.
   ㉢ 자동소화장치를 설치한다.
   ㉣ 복도 끝에는 계단이나 피난구조설비를 설치한다.

(2) 방화구획의 구조

① 방화구획으로 사용되는 60분+방화문 또는 60분 방화문은 언제나 닫힌 상태를 유지하거나 화재로 인한 연기, 온도, 불꽃 등을 가장 신속하게 감지하여 자동으로 닫히는 구조로 할 것

② 외벽과 바닥 사이에 틈이 생긴 때나 급수관, 배전반, 기타의 관이 방화구획 부분을 관통하는 경우 그 관과 방화구획과의 틈을 내화충전성능을 인정한 구조로 된 것으로 메울 것

③ 방화댐퍼를 설치할 것

④ 댐퍼의 기준
   ㉠ 철재로서 철판의 두께가 1.5[mm] 이상일 것
   ㉡ 화재가 발생한 경우에는 연기의 발생 또는 온도상승에 의하여 자동적으로 닫힐 것
   ㉢ 닫힌 경우에는 방화에 지장이 있는 틈이 생기지 아니할 것

5 건축물 방화의 기본사항

(1) 공간적 대응

① 공간적 대응의 구분

㉠ 대항성 : 건축물의 내화, 방연성능, 방화구획의 성능, 화재방어의 대응성, 초기 소화의 대응성 등 화재의 사상에 대응하는 성능과 대항력

㉡ 회피성 : 난연화, 불연화, 내장재 제한, 방화구획의 세분화, 방화훈련 등 화재의 발화, 확대 등을 저감시키는 예방적 조치 또는 상황

㉢ 도피성 : 화재 발생 시 사상과 공간적 대응관계에서 화재로부터 피난할 수 있는 공간성과 시스템 등의 성상

> 공간적 대응 : 대항성(화재에 대응), 회피성(예방적 조치), 도피성(피할 수 있는 공간성)

(2) 설비적 대응

대항성의 방연성능 현상으로 제연설비, 방화문, 방화셔터, 자동화재탐지설비, 스프링클러 설비 등에 의한 대응

제2절 건축물의 방화 및 안전대책

1 건축물의 연소 확대 방지

① 수직구획(층 단위 구획)

② 수평구획(면적 단위 구획)

③ 용도구획(용도 단위 구획)

2 건축물의 안전대책

(1) 피난행동의 성격

① 계단보행속도

수평방향의 피난은 군집보행속도가 문제가 되고 수직방향은 계단보행의 보행 수에 따라 다르다.

② 군집보행속도

㉠ 군집보행 : 후속보행자가 앞의 보행자의 보행속도에 동조하는 상태로서 보행속도는 1.0[m/s]이다.

㉡ 자유보행속도 : 사람이 아무런 제약을 받지 않고 생각대로의 속도로 걷는 것으로 0.5~2[m/s]이다.

㉢ 군집유동계수 : 협소한 출구에서 통과시킬 수 있는 인원을 단위 폭(1[m])과 단위 시간(1초)으로 나타낸 것으로 평균 1.33[人/m・s]로 하고 있다.

보행 구분	군집보행	암중보행(아는 곳)	암중보행(모르는 곳)	자유보행
보행속도	1.0[m/s]	0.7[m/s]	0.3[m/s]	0.5~2.0[m/s]

(2) 피난대책의 일반적인 원칙

① 피난경로는 간단명료하게 할 것(Fool Proof)

② 피난설비는 고정식 설비를 위주로 할 것(Fool Proof)

③ 피난수단은 원시적 방법에 의한 것을 원칙으로 할 것(Fool Proof)

④ 2방향 이상의 피난통로를 확보할 것(Fail Safe)

⑤ 피난통로는 불연화할 것

⑥ 화재층의 피난을 최우선으로 할 것

⑦ 피난시설 중 피난로는 복도 및 거실을 가리킬 것

⑧ 계단은 직통계단으로 할 것

(3) 피난동선의 특성

① 수평동선과 수직동선으로 구분한다.

② 가급적 단순형태가 좋다.

③ 상호반대방향으로 다수의 출구와 연결되는 것이 좋다.

④ 어느 곳에서도 2개 이상의 방향으로 피난할 수 있으며 그 말단은 화재로부터 안전한 장소이어야 한다.

⑤ 평상시 숙지된 동선으로 일상동선과 같게 하여야 한다.

⑥ 피난계단과 특별피난계단을 가급적 분산 배치한다.
⑦ 피난통로의 종단은 화재로부터 안전한 장소일 것

(4) 피난계획의 일반원칙

① Fool Proof : 비상시 머리가 혼란하여 판단능력이 저하되므로 누구나 알 수 있도록 문자나 그림 등을 표시하여 직감적으로 작용하는 것
② Fail Safe : 하나의 수단이 고장으로 실패하여도 다른 수단에 의해 구제할 수 있도록 고려하는 것으로 양방향 피난로의 확보와 예비전원을 준비하는 것 등

(5) 피난방향

① 수평방향의 피난 : 복도
② 수직방향의 피난 : 승강기(수직동선), 계단(보조수단)

화재 발생 시 승강기는 1층에 정지시키고 사용하지 말아야 한다.

(6) 피난시설의 안전구획

① 1차 안전구획 : 복도
② 2차 안전구획 : 계단부속실(계단전실)
③ 3차 안전구획 : 계단

(7) 피난방향 및 경로

구 분	구 조	특 징
T형		피난자에게 피난경로를 확실히 알려주는 형태
X형		양방향으로 피난할 수 있는 확실한 형태
H형		중앙코어방식으로 피난자가 집중되어 패닉 현상이 일어날 우려가 있는 형태
Z형		중앙복도형 건축물에서의 피난경로로서 코어식 중 제일 안전한 형태

※ 패닉의 발생원인
- 연기에 의한 시계 제한
- 유독가스에 의한 호흡장애
- 외부와 단절되어 고립

(8) 피난계단 설치기준

① 계단실은 창문·출입구 기타 개구부를 제외한 해당 건축물의 다른 부분과 내화구조의 벽으로 구획할 것
② 계단실의 실내에 접하는 부분의 마감은 불연재료로 할 것
③ 계단실에는 예비전원에 의한 조명설비를 할 것
④ 계단은 내화구조로 하고 피난층 또는 지상까지 직접 연결되도록 할 것

(9) 제연방법

① **희석** : 외부로부터 신선한 공기를 불어 넣어 내부의 연기의 농도를 낮추는 것
② **배기** : 건물 내·외부의 압력차를 이용하여 연기를 외부로 배출시키는 것
③ **차단** : 연기의 확산을 막는 것

(10) 화재 시 인간의 피난행동 특성

① **귀소본능** : 습관적으로 친숙해 있는 경로로 도피하려는 본능
② **지광본능** : 화재 발생 시 연기와 정전 등으로 가시거리가 짧아져 시야가 흐리면 밝은 방향으로 도피하려는 본능
③ **추종본능** : 화재 발생 시 최초로 행동을 개시한 사람에 따라 전체가 움직이는 본능
④ **퇴피본능** : 공포감으로 화원의 반대방향으로 이동하려는 본능
⑤ **좌회본능** : 좌측으로 통행하고 시계의 반대방향으로 회전하려는 본능

핵/심/예/제

01 건축물의 내화구조에서 바닥의 경우에는 철근콘크리트조의 두께가 몇 [cm] 이상이어야 하는가?

[20년 3회]

① 7　　② 10
③ 12　　④ 15

해설 **바 닥**

- 철근콘크리트조 또는 철골·철근콘크리트조로서 두께가 10[cm] 이상인 것
- 철재로 보강된 콘크리트블록조·벽돌조 또는 석조로서 철재에 덮은 콘크리트 블록 등의 두께가 5[cm] 이상인 것
- 철재의 양면을 두께 5[cm] 이상의 철망모르타르 또는 콘크리트로 덮은 것

핵심예제

02 내화구조에 해당하지 않는 것은?

[18년 1회]

① 철근콘크리트조로 두께가 10[cm] 이상인 벽
② 철근콘크리트조로 두께가 5[cm] 이상인 외벽 중 비내력벽
③ 벽돌조로서 두께가 19[cm] 이상인 벽
④ 철골철근콘크리트조로서 두께가 10[cm] 이상인 벽

해설 **내화구조의 기준**

내화구분		내화구조의 기준
벽	모든 벽	• 철근콘크리트조 또는 철골·철근콘크리트조로서 두께가 10[cm] 이상인 것 • 골구를 철골조로 하고 그 양면을 두께 4[cm] 이상의 철망모르타르로 덮은 것 • 두께 5[cm] 이상의 콘크리트 블록·벽돌 또는 석재로 덮은 것 • 철재로 보강된 콘크리트블록조·벽돌조 또는 석조로서 철재에 덮은 콘크리트 블록 등의 두께가 5[cm] 이상인 것 • 벽돌조로서 두께가 19[cm] 이상인 것
	외벽 중 비내력벽	• 철근콘크리트조 또는 철골·철근콘크리트조로서 두께가 7[cm] 이상인 것 • 골구를 철골조로 하고 그 양면을 두께 3[cm] 이상의 철망모르타르 또는 두께 4[cm] 이상의 콘크리트 블록·벽돌 또는 석재로 덮은 것 • 무근콘크리트조·콘크리트블록조·벽돌조 또는 석조로서 두께가 7[cm] 이상인 것

※ 비내력벽 : 힘을 받지 않는 벽

정답 1 ② 2 ②

03 내화구조의 기준 중 벽의 경우 벽돌조로서 두께가 최소 몇 [cm] 이상이어야 하는가?

[17년 2회]

① 5
② 10
③ 12
④ 19

해설 2번 해설 참조

핵심 예제

04 건축물의 피난·방화구조 등의 기준에 관한 규칙에 따른 철망모르타르로서 그 바름두께가 최소 몇 [cm] 이상인 것을 방화구조로 규정하는가? [18년 1회]

① 2
② 2.5
③ 3
④ 3.5

해설 **방화구조**
- 철망모르타르 : 2[cm] 이상
- 석고판 시멘트, 회반죽 : 2.5[cm] 이상
- 시멘트모르타르 위 타일 : 2.5[cm] 이상

3 ④ 4 ① 정답

05 **건축물에 설치하는 방화벽의 구조에 대한 기준 중 틀린 것은?** [17년 4회, 19년 2회]

① 내화구조로서 홀로 설 수 있는 구조로 할 것
② 방화벽의 양쪽 끝은 지붕면으로부터 0.2[m] 이상 튀어 나오게 하여야 한다.
③ 방화벽의 위쪽 끝은 지붕면으로부터 0.5[m] 이상 튀어 나오게 하여야 한다.
④ 방화벽에 설치하는 출입문의 너비 및 높이는 각각 2.5[m] 이하인 갑종방화문을 설치하여야 한다.

해설 **방화벽** : 화재 시 연소의 확산을 막고 피해를 줄이기 위해 주로 목재건축물에 설치하는 벽

대상 건축물	주요구조부가 내화구조 또는 불연재료가 아닌 연면적 1,000[m^2] 이상인 건축물
구획단지	연면적 1,000[m^2] 미만마다 구획
방화벽의 구조	• 내화구조로서 홀로 설수 있는 구조로 할 것 • 방화벽의 양쪽 끝과 위쪽 끝을 건축물의 외벽면 및 지붕면으로부터 0.5[m] 이상 튀어 나오게 할 것 • 방화벽에 설치하는 출입문의 너비 및 높이는 각각 2.5[m] 이하로 하고 60분+방화문 또는 60분 방화문을 설치할 것

※ 2021년 8월 기준 방화문에 대한 분류체계가 개편됨

방화문

구 분	정 의
60분 + 방화문	연기 및 불꽃을 차단할 수 있는 시간이 60분 이상이고, 열을 차단할 수 있는 시간이 30분 이상인 방화문
60분 방화문	연기 및 불꽃을 차단할 수 있는 시간이 60분 이상인 방화문
30분 방화문	연기 및 불꽃을 차단할 수 있는 시간이 30분 이상 60분 미만인 방화문

정답 5 ②

06 방화벽의 구조 기준 중 다음 ( ) 안에 알맞은 것은? [19년 4회]

- 방화벽의 양쪽 끝과 위쪽 끝을 건축물의 외벽면 및 지붕면으로부터 (㉠)[m] 이상 튀어 나오게 할 것
- 방화벽에 설치하는 출입문의 너비 및 높이는 각각 (㉡)[m] 이하로 하고, 해당 출입문에는 갑종방화문을 설치할 것

① ㉠ 0.3, ㉡ 2.5
② ㉠ 0.3, ㉡ 3.0
③ ㉠ 0.5, ㉡ 2.5
④ ㉠ 0.5, ㉡ 3.0

해설 5번 해설 참조

핵심예제

07 건축물 내 방화벽에 설치하는 출입문의 너비 및 높이의 기준은 각각 몇 [m] 이하인가? [18년 1회]

① 2.5 ② 3.0
③ 3.5 ④ 4.0

해설 방화벽에 설치하는 출입문의 너비 및 높이 : 2.5[m] 이하

08 건축물의 바깥쪽에 설치하는 피난계단의 구조 기준 중 계단의 유효너비는 몇 [m] 이상으로 하여야 하는가? [18년 1회]

① 0.6 ② 0.7
③ 0.8 ④ 0.9

해설 피난계단의 유효너비 : 0.9[m] 이상

6 ③ 7 ① 8 ④ 정답

09 **피난층에 대한 정의로 옳은 것은?** [17년 4회]

① 지상으로 통하는 피난계단이 있는 층
② 비상용 승강기의 승강장이 있는 층
③ 비상용 출입구가 설치되어 있는 층
④ 곧바로 지상으로 갈 수 있는 출입구가 있는 층

해설 피난층 : 곧바로 지상으로 갈 수 있는 출입구가 있는 층

10 **화재예방, 소방시설 설치·유지 및 안전관리에 관한 법령에 따른 개구부의 기준으로 틀린 것은?** [18년 4회]

① 해당 층의 바닥면으로부터 개구부 밑부분까지의 높이가 1.5[m] 이내일 것
② 크기는 지름 50[cm] 이상의 원이 내접할 수 있는 크기일 것
③ 도로 또는 차량이 진입할 수 있는 빈터를 향할 것
④ 내부 또는 외부에서 쉽게 부수거나 열 수 있을 것

해설 해당 층의 바닥면으로부터 개구부 밑부분까지의 높이가 1.2[m] 이내일 것

핵심 예제

11 **건물의 주요구조부에 해당되지 않는 것은?** [17년 4회]

① 바 닥
② 천 장
③ 기 둥
④ 주계단

해설 주요구조부 : 내력벽, 기둥, 바닥, 보, 지붕틀, 주계단
주요구조부 제외 : 사잇벽, 사잇기둥, 최하층의 바닥, 작은 보, 차양, 옥외계단, 천장

정답 9 ④ 10 ① 11 ②

12 건축법령상 내력벽, 기둥, 바닥, 보, 지붕틀 및 주계단을 무엇이라 하는가? [21년 1회]

① 내진구조부

② 건축설비부

③ 보조구조부

④ 주요구조부

해설 11번 해설 참조

13 방화구획의 설치기준 중 스프링클러 기타 이와 유사한 자동식소화설비를 설치한 10층 이하의 층은 몇 [m^2] 이내마다 구획하여야 하는가? [19년 1회]

① 1,000 ② 1,500

③ 2,000 ④ 3,000

해설 방화구획의 기준

<table>
<tr><th>구획종류</th><th colspan="2">구획기준</th><th>구획부분의 구조</th></tr>
<tr><td rowspan="2">면적별 구획</td><td>10층 이하의 층</td><td>• 바닥면적 1,000[m^2] 이내마다 구획
• 자동식 소화설비(스프링클러설비) 설치 시 바닥면적 3,000[m^2] 이내마다 구획</td><td rowspan="4">내화구조의 바닥 및 벽, 방화문 또는 자동방화셔터로 구획</td></tr>
<tr><td>11층 이상의 층</td><td>• 바닥면적 200[m^2] 이내마다 구획
• 자동식 소화설비(스프링클러설비) 설치 시 바닥면적 600[m^2] 이내마다 구획
• 벽 및 반자의 실내에 접하는 마감이 불연재인 경우 바닥면적 500[m^2] 이내마다 구획
• 벽 및 반자의 실내에 접하는 마감이 불연재이면서 자동식 소화설비(스프링클러설비) 설치 시 바닥면적 1,500[m^2] 이내마다 구획</td></tr>
<tr><td>층별 구획</td><td colspan="2">매 층마다 구획(단, 지하 1층에서 지상으로 직접 연결하는 경사로 부위는 제외)</td></tr>
<tr><td>기 타</td><td colspan="2">주요구조부 내화구조 대상에 해당하는 각 용도와 기타 부분 사이</td></tr>
</table>

정답 12 ④ 13 ④

14 건축물에 설치하는 방화구획의 설치기준 중 스프링클러설비를 설치한 11층 이상의 층은 바닥면적 몇 [m^2] 이내마다 방화구획을 하여야 하는가?(단, 벽 및 반자의 실내에 접하는 부분의 마감은 불연재료가 아닌 경우이다) [18년 2회]

① 200
② 600
③ 1,000
④ 3,000

해설 방화구획의 기준

건축물의 규모	구획 기준		비 고
11층 이상의 층	실내마감이 불연재료의 경우	바닥면적 500[m^2](1,500[m^2]) 이내마다 구획)	( ) 안의 면적은 스프링클러 등 자동식 소화설비를 설치한 경우임
	실내마감이 불연재료가 아닌 경우	바닥면적 200[m^2](600[m^2]) 이내마다 구획	

핵심예제

15 연면적이 1,000[m^2] 이상인 목재건축물은 그 외벽 및 처마 밑의 연소할 우려가 있는 부분을 방화구조로 하여야 하는데 이때 연소우려가 있는 부분은?(단, 동일한 대지 안에 2동 이상의 건물이 있는 경우이며, 공원·광장·하천의 공지나 수면 또는 내화구조의 벽 기타 이와 유사한 것에 접하는 부분을 제외한다) [19년 1회]

① 상호의 외벽 간 중심선으로부터 1층은 3[m] 이내의 부분
② 상호의 외벽 간 중심선으로부터 2층은 7[m] 이내의 부분
③ 상호의 외벽 간 중심선으로부터 3층은 11[m] 이내의 부분
④ 상호의 외벽 간 중심선으로부터 4층은 13[m] 이내의 부분

해설 연소할 우려가 있는 부분

- 상호의 외벽 간 중심선으로부터 1층은 3[m] 이내의 부분
- 상호의 외벽 간 중심선으로부터 2층은 5[m] 이내의 부분

정답 14 ② 15 ①

16 건축방화계획에서 건축구조 및 재료를 불연화하여 화재를 미연에 방지하고자 하는 공간적 대응방법은? [17년 1회]

① 회피성 대응
② 도피성 대응
③ 대항성 대응
④ 설비적 대응

해설 회피성 대응 : 건축구조 및 재료를 불연화함으로써 화재를 미연에 방지하는 공간적 대응

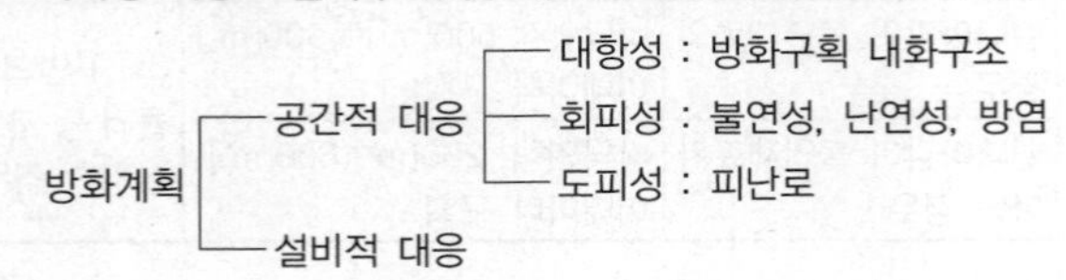

핵심예제

17 연소확대 방지를 위한 방화구획과 관계없는 것은? [17년 4회]

① 일반승강기의 승강장 구획
② 층 또는 면적별 구획
③ 용도별 구획
④ 방화댐퍼

해설 연소확대 방지를 위한 방화구획과 관계 : 층별, 면적별, 용도별 구획, 방화댐퍼 등

18 화재 발생 시 인명피해 방지를 위한 건물로 적합한 것은? [19년 4회]

① 피난설비가 없는 건물
② 특별피난계단의 구조로 된 건물
③ 피난기구가 관리되고 있지 않은 건물
④ 피난구 폐쇄 및 피난구유도등이 미비되어 있는 건물

해설 인명피해를 방지하기 위해서는 피난설비가 구비되어 있고, 특별피난계단의 구조로 된 건축물이어야 하며, 피난구는 폐쇄되지 않고, 피난기구들은 정기 검사를 통해 유지 관리되어야 한다.

16 ① 17 ① 18 ② 정답

19 건물 내 피난동선의 조건으로 옳지 않은 것은? [20년 4회]

① 2개 이상의 방향으로 피난할 수 있어야 한다.
② 가급적 단순한 형태로 한다.
③ 통로의 말단은 안전한 장소이어야 한다.
④ 수직동선은 금하고 수평동선만 고려한다.

해설 **피난동선의 조건**

- 수평동선과 수직동선으로 구분한다.
- 가급적 단순형태가 좋다.
- 상호 반대방향으로 다수의 출구와 연결되는 것이 좋다.
- 어느 곳에서도 2개 이상의 방향으로 피난할 수 있으며, 그 말단은 화재로부터 안전한 장소이어야 한다.

20 건축물의 피난동선에 대한 설명으로 틀린 것은? [17년 2회]

① 피난동선은 가급적 단순한 형태가 좋다.
② 피난동선은 가급적 상호 반대방향으로 다수의 출구와 연결되는 것이 좋다.
③ 피난동선은 수평동선과 수직동선으로 구분된다.
④ 피난동선은 복도, 계단을 제외한 엘리베이터와 같은 피난전용의 통행구조를 말한다.

해설 19번 해설 참조

정답 19 ④ 20 ④

21 피난 시 하나의 수단이 고장 등으로 사용이 불가능하더라도 다른 수단 및 방법을 통해서 피난할 수 있도록 하는 것으로 2방향 이상의 피난통로를 확보하는 피난대책의 일반 원칙은? [20년 1회]

① Risk-down 원칙
② Feed-back 원칙
③ Fool-proof 원칙
④ Fail-safe 원칙

해설 **피난계획의 일반원칙**
- Fool Proof : 비상시 머리가 혼란하여 판단능력이 저하되는 상태로 누구나 알 수 있도록 문자나 그림 등을 표시하여 직감적으로 작용하는 것
- Fail Safe : 하나의 수단이 고장으로 실패하여도 다른 수단에 의해 구제할 수 있도록 고려하는 것으로 양방향 피난로의 확보와 예비전원을 준비하는 것

핵심예제

22 피난계획의 일반원칙 중 Fool Proof 원칙에 대한 설명으로 옳은 것은? [18년 2회]

① 1가지가 고장이 나도 다른 수단을 이용하는 원칙
② 2방향의 피난동선을 항상 확보하는 원칙
③ 피난수단을 이동식 시설로 하는 원칙
④ 피난수단을 조작이 간편한 원시적 방법으로 하는 원칙

해설 21번 해설 참조

23 피난로의 안전구획 중 2차 안전구획에 속하는 것은? [18년 1회]

① 복 도
② 계단부속실(계단전실)
③ 계 단
④ 피난층에서 외부와 직면한 현관

해설 **피난시설의 안전구획**
① 1차 안전구획 : 복도
② 2차 안전구획 : 계단부속실(전실)
③ 3차 안전구획 : 계단

21 ④ 22 ④ 23 ② 정답

24 건축물의 화재 시 피난자들의 집중으로 패닉(Panic) 현상이 일어날 수 있는 피난방향은?

[17년 1회, 21년 1회]

① 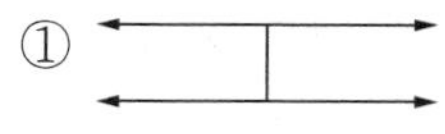

② 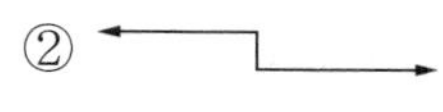

③ 

④

해설 피난방향 및 경로

구 분	구 조	특 징
H형		중앙코어방식으로 피난자의 집중으로 패닉현상이 일어날 우려가 있는 형태

25 주요구조부가 내화구조로된 건축물에서 거실 각 부분으로부터 하나의 직통계단에 이르는 보행거리는 피난자의 안전상 몇 [m] 이하이어야 하는가?

[19년 1회]

① 50
② 60
③ 70
④ 80

해설 거실 각 부분으로부터 하나의 직통계단에 이르는 보행거리 : 30[m] 이하(내화구조 : 50[m] 이하)

26 화재 시 나타나는 인간의 피난특성으로 볼 수 없는 것은?

[20년 1·2회]

① 어두운 곳으로 대피한다.
② 최초로 행동한 사람을 따른다.
③ 발화지점의 반대방향으로 이동한다.
④ 평소에 사용하던 문, 통로를 사용한다.

해설 ① 지광본능 : 화재 발생 시 연기와 정전 등으로 가시거리가 짧아져 시야가 흐리면 밝은 방향으로 도피하려는 본능
② 추종본능
③ 퇴피본능
④ 귀소본능

정답 24 ① 25 ① 26 ①

27 건축물의 화재 발생 시 인간의 피난 특성으로 틀린 것은? [18년 2회, 20년 4회]

① 평상시 사용하는 출입구나 통로를 사용하는 경향이 있다.
② 화재의 공포감으로 인하여 빛을 피해 어두운 곳으로 몸을 숨기는 경향이 있다.
③ 화염, 연기에 대한 공포감으로 발화지점의 반대방향으로 이동하는 경향이 있다.
④ 화재 시 최초로 행동을 개시한 사람을 따라 전체가 움직이는 경향이 있다.

해설 **지광본능** : 화재 발생 시 연기와 정전 등으로 가시거리가 짧아져 시야가 흐리면 밝은 방향으로 도피하려는 본능

28 다음 중 인명구조기구에 속하지 않는 것은? [19년 4회]

① 방열복 ② 공기안전매트
③ 공기호흡기 ④ 인공소생기

해설 **인명구조기구**
- 방열복, 방화복(안전모, 보호장갑 및 안전화를 포함)
- 공기호흡기
- 인공소생기

※ 공기안전매트 : 피난기구

핵심예제

29 특정소방대상물(소방안전관리대상물은 제외)의 관계인과 소방안전관리대상물의 소방안전관리자의 업무가 아닌 것은? [19년 4회]

① 화기 취급의 감독
② 자체소방대의 운용
③ 소방 관련 시설의 유지·관리
④ 피난시설, 방화구획 및 방화시설의 유지·관리

해설 **소방안전관리자 업무**
- 피난계획에 관한 사항과 소방계획서의 작성 및 시행
- 자위소방대 및 초기 대응체계의 구성·운영·교육
- 피난시설·방화구획 및 방화시설의 유지·관리
- 소방훈련 및 교육
- 소방시설이나 그 밖의 소방 관련 시설의 유지·관리
- 화기 취급의 감독

27 ② 28 ② 29 ② 정답

30 소방시설 중 피난구조설비에 해당하지 않는 것은? [18년 11회]

① 무선통신보조설비
② 완강기
③ 구조대
④ 공기안전매트

해설 **무선통신보조설비** : 소화활동설비

31 화재발생 시 피난기구로 직접 활용할 수 없는 것은? [21년 2회]

① 완강기
② 무선통신보조설비
③ 피난사다리
④ 구조대

해설 **소화활동설비** : 제연설비, 연결살수설비, 연결송수관설비, 비상콘센트설비, 무선통신보조설비, 연소방지설비
피난구조설비 중 피난기구 : 완강기, 피난사다리, 구조대, 피난용 트랩, 피난교, 간이완강기, 공기안전매트, 피난용 승강기, 다수인 피난장비, 미끄럼대

정답 30 ① 31 ②

제3절 소화원리 및 방법

1 소화의 원리

(1) 소화원리 : 연소의 3요소 중 어느 하나를 제거하는 소화방법

① 가연물 : 제거소화
② 산소공급원 : 질식소화
③ 점화원 : 냉각소화
④ 순조로운 연쇄반응(4요소) : 연쇄반응 차단, 부촉매 효과(화학적 소화 · 억제소화)

(2) 소화의 종류

① **냉각소화** : 화재현장에 물을 주수하여 발화점 이하로 온도를 낮추어 소화하는 방법

> 물 1[L/min]이 건물 내의 일반가연물을 진화할 수 있는 양 : 0.75[m^3]

② **질식소화** : 공기 중의 산소의 농도를 21[%]에서 15[%] 이하로 낮추어 소화하는 방법
㉠ 공기 중 산소 농도 : 21[%]
㉡ 질식소화 시 산소의 유효한계농도 : 10~15[%]
㉢ 이산화탄소 농도 : $CO_2 = \frac{21 - O_2}{21} \times 100[\%]$

③ **제거소화** : 화재현장에서 가연물을 없애주어 소화하는 방법

> 표면연소는 불꽃연소보다 연소속도가 매우 느리다.

④ **화학소화(부촉매효과)** : 연쇄반응을 차단하여 소화하는 방법
㉠ 화학소화방법은 불꽃연소에만 한한다.
㉡ 화학소화제는 연쇄반응을 억제하면서 동시에 냉각, 산소희석, 연료제거 등의 작용을 한다.
㉢ 화학소화제는 불꽃연소에는 매우 효과적이나 표면연소(숯)에는 효과가 없다.

⑤ **희석소화** : 알코올, 에테르, 에스테르, 케톤류 등 수용성 물질에 다량의 물을 방사하여 가연물의 농도를 낮추어 소화하는 방법

⑥ **유화소화** : 물분무소화설비를 중유에 방사하는 경우 유류표면에 엷은 막으로 유화층을 형성하여 화재를 소화하는 방법

⑦ **피복소화** : 이산화탄소약제 방사 시 가연물의 구석까지 침투하여 피복하므로 연소를 차단하여 소화하는 방법

소화효과
- 물(적상, 봉상) 방사 : 냉각효과
- 물(무상) 방사 : 질식, 냉각, 희석, 유화효과
- 포 : 질식, 냉각효과
- 이산화탄소 : 질식, 냉각, 피복효과
- 할론(할로겐화합물)·분말 : 질식, 냉각, 부촉매효과

2 소화의 방법

(1) 소화기의 분류

① 축압식 소화기 : 미리 용기에 압력을 축압한 것

② 가압식 소화기 : 별도로 이산화탄소 가압용 봄베 등을 설치하여 그 가스압으로 약제를 송출하는 방식

※ 소화기의 설치 위치 : 바닥면으로부터 1.5[m] 이하 지점

(2) 소화기의 종류

① 물소화기

㉠ 펌프식 : 수동펌프를 설치하여 물을 방출하는 방식

㉡ 축압식 : 압축공기를 넣어서 압력으로 물을 방출하는 방식

㉢ 가압식 : 별도로 이산화탄소 등의 가스를 가압용 봄베에 설치하여 그 가스 압력으로 물을 방출하는 방식

② 산·알칼리소화기 : 전도식, 파병식, 이중병식

$2NaHCO_3 + H_2SO_4 \rightarrow Na_2SO_4 + 2CO_2 + 2H_2O$

③ 강화액소화기 : 축압식, 가스가압식

④ 포소화기 : 전도식, 파괴전도식

$6NaHCO_3 + Al_2(SO_4)_3 \cdot 18H_2O \rightarrow 3Na_2SO_4 + 2Al(OH)_3 + 6CO_2 + 18H_2O$

⑤ 할론소화기 : 축압식, 수동펌프식, 수동축압식, 자기증기압식

할론 1301 : 소화효과가 가장 크고 독성이 가장 적다.

⑥ 이산화탄소소화기 : 액화탄산가스를 봄베에 넣고, 용기밸브를 설치한 것

⑦ 분말소화기 : 축압식, 가스가압식

㉠ 축압식 : 용기에 분말소화약제를 채우고 방출압력원으로 질소가스가 충전되어 있는 방식(제3종 분말 사용)

㉡ 가스가압식 : 탄산가스로 충전된 방출압력원의 봄베는 용기 내부 또는 외부에 설치되어 있는 방식(제1종·제2종 분말 사용)

(3) 소화방법

① 화학적 방법 : 연쇄반응의 억제에 의한 방법(할론)

② 물리적 방법

㉠ 냉각에 의한 방법

㉡ 공기와의 접촉 차단에 의한 방법

㉢ 가연물 제거에 의한 방법

핵/심/예/제

01 소화의 방법으로 틀린 것은? [18년 1회]

① 가연성 물질을 제거한다.
② 불연성 가스의 공기 중 농도를 높인다.
③ 산소의 공급을 원활히 한다.
④ 가연성 물질을 냉각시킨다.

해설 소화는 연소의 3요소(가연물, 산소공급원, 점화원) 중 한 가지 이상을 제거하는 것으로 산소 공급을 차단해야 소화된다.

02 화재를 소화하는 방법 중 물리적 방법에 의한 소화가 아닌 것은? [17년 2회, 20년 4회]

① 억제소화
② 제거소화
③ 질식소화
④ 냉각소화

해설
- 순조로운 연쇄반응 제거 → 억제소화(부촉매소화), 화학적 방법
- 가연물, 산소공급원, 점화원 제거 → 물리적 방법

핵심 예제

03 물리적 소화방법이 아닌 것은? [21년 2회]

① 산소공급원 차단
② 연쇄반응 차단
③ 온도 냉각
④ 가연물 제거

해설 **소화방법**
- 화학적 소화방법 : 연쇄반응의 억제에 의한 방법
- 물리적 방법
  - 냉각에 의한 방법
  - 공기와의 접촉 차단에 의한 방법
  - 가연물 제거에 의한 방법

정답 1 ③ 2 ① 3 ②

04 증발잠열을 이용하여 가연물의 온도를 떨어뜨려 화재를 진압하는 소화방법은?

[20년 4회, 21년 1회]

① 제거소화 ② 억제소화
③ 질식소화 ④ 냉각소화

해설 **냉각소화** : 화재현장에 물을 주수하여 발화점 이하로 온도를 낮추어 열을 제거하여 소화하는 방법으로, 목재 화재 시 다량의 물을 뿌려 소화하는 것이다.

05 목재 화재 시 다량의 물을 뿌려 소화할 경우 기대되는 주된 소화효과는? [17년 4회]

① 제거효과 ② 냉각효과
③ 부촉매효과 ④ 희석효과

해설 4번 해설 참조

06 불연성 기체나 고체 등으로 연소물을 감싸 산소공급을 차단하는 소화방법은?

[20년 1·2회, 4회]

① 질식소화 ② 냉각소화
③ 연쇄반응차단소화 ④ 제거소화

해설 **질식소화** : 산소의 농도를 15[%] 이하로 낮추거나, 산소공급을 차단하여 소화

07 공기 중의 산소의 농도는 약 몇 [vol%]인가? [20년 4회]

① 10 ② 13
③ 17 ④ 21

해설 **공기 중 산소의 농도** : 21[vol%]

4 ④ 5 ② 6 ① 7 ④ 정답

08 질식소화 시 공기 중의 산소농도는 일반적으로 약 몇 [vol%] 이하로 하여야 하는가?

[17년 2회, 20년 3회, 21년 1회]

① 25　　② 21
③ 19　　④ 15

해설 질식소화 시 공기 중의 산소농도 : 15[vol%] 이하
$CO_2[\%] = \frac{21-O_2}{21} \times 100[\%]$, $CO_2[m^3] = \frac{21-O_2}{21} \times V[m^3]$, 공기 중의 산소농도 : 21[%]

09 화재 시 이산화탄소를 방출하여 산소농도를 13[vol%]로 낮추어 소화하기 위한 공기 중 이산화탄소의 농도는 약 몇 [vol%]인가?

[17년 2회, 19년 4회]

① 9.5　　② 25.8
③ 38.1　　④ 61.5

해설 이산화탄소 농도
$$CO_2 = \frac{21-O_2}{21} \times 100[\%] = \frac{21-13}{21} \times 100[\%] = 38.09[\%]$$

10 공기의 부피 비율이 질소 79[%], 산소 21[%]인 전기실에 화재가 발생하여 이산화탄소 소화약제를 방출하여 소화하였다. 이때 산소의 부피농도가 14[%]이었다면 이 혼합 공기의 분자량은 약 얼마인가?(단, 화재 시 발생한 연소가스는 무시한다)

[19년 2회]

① 28.9　　② 30.9
③ 33.9　　④ 35.9

해설 이산화탄소 농도
$$CO_2 = \frac{21-O_2}{21} \times 100[\%] = \frac{21-14}{21} \times 100[\%] = 33.3[\%]$$
- 이산화탄소 농도 : 33[%], 분자량 : 44
- 산소 농도 : 14[%], 분자량 : 32
- 질소 농도 : 53[%], 분자량 : 28(이산화탄소와 산소농도를 뺀 나머지 질소 농도)
- 혼합공기분자량 = 44×0.33 + 32×0.14 + 28×0.53
  = 33.9[%]

정답 8 ④ 9 ③ 10 ③

핵심 예제

11 밀폐된 공간에 이산화탄소를 방사하여 산소의 체적 농도를 12[%] 되게 하려면 상대적으로 방사된 이산화탄소의 농도는 얼마가 되어야 하는가? [20년 3회]

① 25.40[%]
② 28.70[%]
③ 38.35[%]
④ 42.86[%]

해설 **이산화탄소의 농도**

$$CO_2 = \frac{21 - O_2}{21} \times 100[\%] = \frac{21 - 12}{21} \times 100[\%] \fallingdotseq 42.86[\%]$$

12 화재 시 CO_2를 방사하여 산소농도를 11[vol%]로 낮추어 소화하려면 공기 중 CO_2의 농도는 약 몇 [vol%]가 되어야 하는가? [19년 2회]

① 47.6
② 42.9
③ 37.9
④ 34.5

해설 **이산화탄소 농도**

$$CO_2 = \frac{21 - O_2}{21} \times 100[\%] = \frac{21 - 11}{21} \times 100[\%] = 47.6[\%]$$

13 제거소화의 예에 해당하지 않는 것은? [20년 1·2회]

① 밀폐 공간에서의 화재 시 공기를 제거한다.
② 가연성가스 화재 시 가스의 밸브를 닫는다.
③ 산림화재 시 확산을 막기 위하여 산림의 일부를 벌목한다.
④ 유류탱크 화재 시 연소되지 않은 기름을 다른 탱크로 이동시킨다.

해설 **밀폐 공간에서의 화재 시 공기를 제거 : 질식소화**

11 ④ 12 ① 13 ① 정답

14 다음 중 가연물의 제거를 통한 소화 방법과 무관한 것은? [19년 2회]

① 산불의 확산방지를 위하여 산림의 일부를 벌채한다.
② 화학반응기의 화재 시 원료 공급관의 밸브를 잠근다.
③ 전기실 화재 시 IG-541 약제를 방출한다.
④ 유류탱크 화재 시 주변에 있는 유류탱크의 유류를 다른 곳으로 이동시킨다.

해설 **IG-541 약제** : 질식소화 및 냉각소화

15 가연물의 제거와 가장 관련이 없는 소화방법은? [17년 1회, 19년 4회]

① 유류화재 시 유류공급 밸브를 잠근다.
② 산불화재 시 나무를 잘라 없앤다.
③ 팽창진주암을 사용하여 진화한다.
④ 가스화재 시 중간밸브를 잠근다.

해설 팽창진주암을 사용하여 진화하는 것은 질식소화이다.

핵심 예제

16 소화방법 중 제거소화에 해당되지 않는 것은? [18년 2회]

① 산불이 발생하면 화재의 진행방향을 앞질러 벌목
② 방 안에서 화재가 발생하면 이불이나 담요로 덮음
③ 가스 화재 시 밸브를 잠가 가스흐름을 차단
④ 불타고 있는 장작더미 속에서 아직 타지 않은 것을 안전한 곳으로 운반

해설 방 안에서 화재가 발생하면 이불이나 담요로 덮어 소화하는 것은 질식소화이다.

정답 14 ③ 15 ③ 16 ②

17 **소화원리에 대한 설명으로 틀린 것은?** [19년 1회]

① 냉각소화 : 물의 증발잠열에 의해서 가연물의 온도를 저하시키는 소화방법
② 제거소화 : 가연성 가스의 분출화재 시 연료공급을 차단시키는 소화방법
③ 질식소화 : 포소화약제 또는 불연성가스를 이용해서 공기 중의 산소공급을 차단하여 소화하는 방법
④ 억제소화 : 불활성기체를 방출하여 연소범위 이하로 낮추어 소화하는 방법

해설 억제소화(부촉매효과) : 연쇄반응을 차단하여 소화하는 방법, 화학소화

핵심 예제

18 **연소의 4요소 중 자유활성기(Free Radical)의 생성을 저하시켜 연쇄반응을 중지시키는 소화방법은?** [18년 1회]

① 제거소화
② 냉각소화
③ 질식소화
④ 억제소화

해설 억제소화 : 자유활성기의 생성을 저하시켜 연쇄반응을 중지시키는 소화

17 ④ 18 ④ 정답

CHAPTER 03 약제화학

제1절 물소화약제

1 물소화약제의 장단점

(1) 장 점

① 가격 저렴, 장기간 보존 가능
② 냉각효과 우수, 무상주수일 때 질식·유화효과
③ 비열·잠열이 크다.
④ 구하기 쉽다.
⑤ 다른 약제와 혼합하여 수용액으로 사용할 수 있다.

(2) 단 점

① 0[℃] 이하의 온도에서는 동파 및 응고현상으로 소화효과가 작다.
② 방사 후 물에 의한 2차 피해의 우려가 있다.
③ 전기(C급)화재나 금속(D급)화재에는 적응성이 없다.
④ 유류화재 시 물약제를 방사하면 연소면 확대로 소화효과는 기대하기 어렵다.

2 물소화약제의 방사방법 및 소화원리

(1) 방사방법

① 봉상주수(물줄기)
옥내·외소화전에서 방사하는 경우로, 물이 가늘고 긴 물줄기 모양을 형성하여 방사되는 것

② 적상주수(물방울)
스프링클러헤드와 같이 물방울을 형성하면서 방사되는 것으로 봉상주수보다 물방울의 입자가 작다.

봉상주수, 적상주수의 소화효과 : 냉각효과

③ 무상주수(물안개)

물분무헤드와 같이 안개 또는 구름 모양을 형성하면서 방사되는 것

무상주수 : 질식, 냉각, 희석, 유화효과

(2) 소화원리

냉각작용에 의한 소화효과가 가장 크며 증발하여 수증기(비화잠열 539[cal/g])로 되므로 원래 물의 용적의 약 1,700배의 불연성 기체로 되기 때문에 가연성 혼합기체의 희석작용도 하게 된다.

(3) 물의 소화성능을 향상시키기 위해 첨가하는 첨가제

① 침투제 : 물의 표면장력을 낮추어 침투효과를 높이기 위한 첨가제
② 증점제 : 물의 점도를 증가시키는 물질
③ 유화제 : 기름의 표면에 유화(에멀션)효과를 위한 첨가제(분무주수)

제2절 포소화약제

1 포소화약제의 장단점

(1) 장 점

① 인체에는 무해하고 약제 방사 후 독성 가스의 발생 우려가 없다.
② 가연성 액체 화재 시 질식, 냉각의 소화위력을 발휘한다.

(2) 단 점

① 동절기에는 유동성을 상실하여 소화효과가 저하된다.
② 단백포의 경우는 침전부패의 우려가 있어 정기적으로 교체 충전하여야 한다.
③ 약제방사 후 약제의 잔유물이 남는다.

포소화약제의 소화효과 : 질식효과, 냉각효과

2 포소화약제의 구비조건

① 내열성이 있을 것
② 내유성이 있을 것
③ 유동성이 있을 것
④ 응접성과 안정성이 있을 것
⑤ 독성이 적어야 한다.

3 포소화약제의 종류 및 성상

(1) 화학포소화약제

화학포소화약제는 외약제인 탄산수소나트륨(중탄산나트륨, $NaHCO_3$)의 수용액과 내약제인 황산알루미늄[$Al_2(SO_4)_3$]의 수용액이 화학반응에 의해 이산화탄소를 이용하여 포(Foam)를 발생시키는 약제이다.

$$6NaHCO_3 + Al_2(SO_4)_3 \cdot 18H_2O \rightarrow 3Na_2SO_4 + 2Al(OH)_3 + 6CO_2 + 18H_2O$$

(탄산수소나트륨) (황산알루미늄수용액)

(2) 기계포소화약제(공기포소화약제)

① 혼합비율에 따른 분류

구 분	약제 종류	약제 농도
저발포용	단백포	3[%], 6[%]
	합성계면활성제포	3[%], 6[%]
	수성막포	3[%], 6[%]
	내알코올용포	3[%], 6[%]
	불화단백포	3[%], 6[%]
고발포용	합성계면활성제포	1[%], 1.5[%], 2[%]

단백포 3[%] : 단백포약제 3[%]와 물 97[%]의 비율로 혼합한 약제

② 팽창비율에 따른 분류

구 분	팽창비
저발포용	20배 이하
고발포용	80배 이상 1,000배 미만

③ 포소화약제에 따른 분류

㉠ 단백포소화약제 : 소의 뿔, 발톱, 피 등 동물성 단백질 가수분해물에 염화제일철염($FeCl_2$염)의 안정제를 첨가해 물에 용해하여 수용액으로 제조된 소화약제로서 특이한 냄새가 나는 끈끈한 흑갈색 액체이다.

[포소화약제의 물성표]

물성 \ 종류	단백포	합성계면활성제포	수성막포	내알코올용포
pH(20[℃])	6.0~7.5	6.5~8.5	6.0~8.5	6.0~8.5
비중(20[℃])	1.1~1.2	0.9~1.2	1.0~1.15	0.9~1.2

㉡ 합성계면활성제포소화약제 : 고급 알코올 황산에스테르와 고급 알코올황산염을 사용하여 포의 안정성을 위해 안정제를 첨가한 소화약제이다.

㉢ 수성막포소화약제 : 미국의 3M사가 개발한 것으로 일명 Light Water라고 한다. 이 약제는 불소(플루오린)계통의 습윤제에 합성계면활성제가 첨가되어 있는 약제로서 물과 혼합하여 사용한다. 성능은 단백포소화약제에 비해 약 300[%]의 효과가 있으며 동일 화재 소화 시 필요한 소화약제의 양은 1/3 정도에 불과하다.

분말소화약제와 병용하여 사용할 수 있다.

㉣ 내알코올용포소화약제 : 단백질의 가수분해물에 합성세제를 혼합해서 제조한 소화약제로서 알코올, 에스테르류 같이 수용성인 용제에 적합하다.

내알코올용포 : 에테르, 케톤, 에스테르, 알데히드, 아민 등

㉤ 불화단백포소화약제 : 단백포에 불소(플루오린)계 계면활성제를 혼합하여 제조한 것으로서 불소(플루오린)의 소화효과는 포소화약제 중 우수하나 가격이 비싸 잘 유통되지 않고 있다.

4 환원시간(Drain Age Time)

① 방출된 포가 깨져 수용액으로 환원하는 데 걸리는 시간. 길수록 좋다.

② 수용액으로 환원시간이 길수록 포약제는 오래 유지되고, 소화성 농도가 우수한 것으로 평가되며, 내열성이 좋아진다.

제3절 이산화탄소소화약제

1 이산화탄소소화약제의 성상

(1) 이산화탄소의 특성

① 기체상태에서 그 증기비중은 1.517 정도로 공기보다 무겁다.
② 대기압·상온에서 무색·무취의 기체이며 화학적으로 안정하다.
③ 자체압력으로 방사가 가능하며, 전기적으로 비전도성(부도체)이다.
④ 액화가스로 저장하기 위하여 임계온도(31[℃]) 이하로 냉각시켜 놓고 가압한다.
⑤ 저온으로 고체화한 것을 드라이아이스라고 하며 냉각제로 사용한다.
⑥ 고농도의 이산화탄소는 인체에 독성이 있다.
⑦ 한랭지에서도 사용할 수 있다.

(2) 이산화탄소의 물성

구 분	물성치
화학식	CO_2
분자량	44
비중(공기 = 1)	1.517
임계온도	31.35[℃]
임계압력	72.75[atm]
삼중점	−56.3[℃](0.42[MPa])
비점(승화점)	−78.5[℃]
수 분	0.05[%] 이하(함량 99.5[%] 이상)

2 이산화탄소 저장용기의 충전비

구 분	저압식	고압식
충전비	1.1 이상 1.4 이하	1.5 이상 1.9 이하

3 약제량 측정법

① 중량측정법

용기밸브 개방장치 및 조작관 등을 떼어낸 후 저울을 사용하여 가스용기의 총중량을 측정한 후 용기에 부착된 중량표(명판)와 비교하여 기재중량과 계량중량의 차가 충전량의 5[%] 이내가 되어야 한다.

② 액면측정법

액화가스미터기로 액면의 높이를 측정하여 CO_2약제량을 계산한다.

임계온도 : 액체의 밀도와 기체의 밀도가 같아지는 31.35[℃]이다.

③ 비파괴검사법

용기를 파괴하지 않고 외부에서 검사하는 방법

4 이산화탄소소화약제의 소화효과

① 산소의 농도 21[%]를 15[%]로 낮추어 이산화탄소에 의한 질식효과
② 증기비중이 공기보다 1.517배로 무겁기 때문에 이산화탄소에 의한 피복효과
③ 이산화탄소가스 방출 시 기화열에 의한 냉각효과

이산화탄소의 소화효과 : 질식, 피복, 냉각효과

5 이산화탄소소화약제의 저장용기 설치장소

① 방호구역 외의 장소에 설치할 것. 다만, 방호구역 내에 설치할 경우에는 피난 및 조작이 용이하도록 피난구 부근에 설치하여야 한다.
② 온도가 40[℃] 이하이고 온도변화가 적은 곳에 설치할 것
③ 직사광선 및 빗물이 침투할 우려가 없는 곳에 설치할 것
④ 용기의 설치장소에는 해당 용기가 설치된 곳임을 표시하는 표지를 할 것

제4절 할론소화약제

1 할론소화약제의 개요

할로겐화합물이란 불소(플루오린, F), 염소(Cl), 브롬(Br) 및 요오드(아이오딘, I) 등 할로겐족 원소를 하나 이상 함유한 화학 물질을 말한다. 할로겐족 원소는 다른 원소에 비해 높은 반응성을 갖고 있어 할로겐화합물은 독성이 적고 안정된 화합물을 형성한다.

2 할론소화약제의 특성

종 류	불소(플루오린, F)	염소(Cl)	브롬(Br)	요오드(아이오딘, I)
원자번호	9	17	35	53

(1) 할론소화약제의 특성

① 전기 부도체이다(전기 절연성이 크다).
② 금속에 대한 부식성이 작다.
③ 화학적 부촉매효과에 의한 억제작용으로 소화능력이 크다.
④ 가연성 액체화재에 대하여 소화속도가 매우 크다.
⑤ 값이 비싸다.

(2) 할론소화약제의 구비조건

① 기화되기 쉬운 저비점 물질일 것
② 공기보다 무겁고 불연성일 것
③ 증발잔유물이 없어야 할 것

(3) 할론소화약제의 물성

종 류 \ 물 성	분자식	분자량	상온(상압)에서 상태
할론 1301	CF_3Br	148.9	기 체
할론 1211	CF_2ClBr	165.4	기 체
할론 2402	$C_2F_4Br_2$	259.8	액 체
할론 1011	CH_2ClBr	129.4	액 체

• 전기음성도, 수소와 결합력 : F > Cl > Br > I
• 소화효과 : F < Cl < Br < I

(4) 확산속도($U \propto \frac{1}{\sqrt{M}}$)

$$\frac{U_B}{U_A} = \sqrt{\frac{M_A}{M_B}}$$

여기서, U_B : 공기의 확산속도
U_A : 할론 1301의 확산속도
M_B : 공기의 분자량
M_A : 할론 1301의 분자량

(5) 명명법

할론이란 할로겐화탄화수소(Halogenated Hydrocarbon)의 약칭으로 탄소 또는 탄화수소에 불소(플루오린), 염소, 브롬이 함께 포함되어 있는 물질을 통칭하는 말이다.
예를 들면, 할론 1211은 CF_2ClBr로서 1개의 탄소 원자, 2개의 불소 원자, 1개의 염소 원자 및 1개의 브롬 원자로 이루어진 화합물이다.

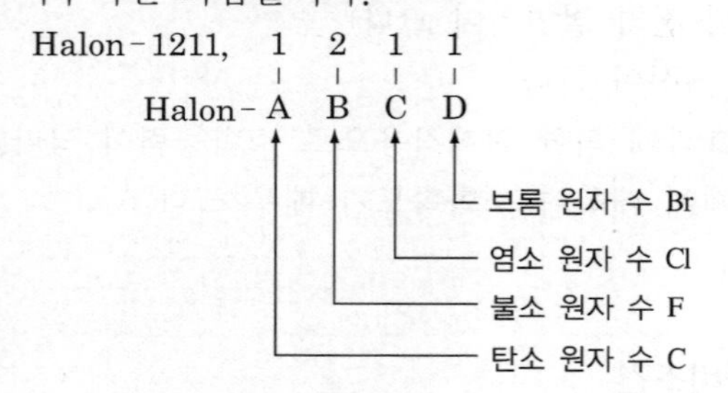

3 할론소화약제의 성상

(1) 할론 1301

① 상온에서 기체, 공기보다 5.1배 무겁다(비중 = $\frac{148.9}{29}$ ≒ 5.1배).
② 자체압력이 1.4[MPa]이므로 질소로 2.8[MPa]을 충전해 4.2[MPa]로 하여야 전량 방출이 가능하다.
③ 할론소화약제 중에서 인체에 대한 독성이 가장 약하고 소화효과가 가장 좋다.
④ 적응화재는 유류화재(B급), 전기화재(C급)에 적합하다.

(2) 할론 1211

① 상온에서 기체, 공기보다 약 5.7배 무겁다.
② 전기의 전도성은 없다(부도체).

할론 1211의 부식성의 크기 순서 : 알루미늄 > 청동 > 니켈 > 구리

③ 적응화재는 유류화재(B급), 전기화재(C급)에 적합하다.

(3) 할론 1011

① 할론 1011은 상온에서 액체이며 증기비중은 4.5이고 기체의 밀도는 0.0058[g/cm³]이다.
② 할론 1011, 104는 독성이 강하여 소화약제로 사용하지 않는다.
(할론 104의 분자식 : CCl_4)

(4) 할론 2402

① 할론 2402는 투명한 무색액체이며 특유한 냄새가 난다.
② 적응화재는 유류화재(B급), 전기화재(C급)에 적합하다.

구 분 \ 종 류	할론 1301	할론 2402
분자량	148.9	259.8
임계압력	39.1[atm](3.96[MPa])	33.9[atm](3.44[MPa])
임계온도	67[℃]	214.5[℃]
증발잠열	119[kJ/kg]	105[kJ/kg]
임계밀도	750[kg/m³]	790[kg/m³]

4 할론소화약제의 소화효과

① 소화효과 : 질식, 냉각, 부촉매효과
② 소화효과의 크기
사염화탄소 < 할론 1011 < 할론 2402 < 할론 1211 < 할론 1301

제 5 절 할로겐화합물 및 불활성기체소화약제

1 할로겐화합물 및 불활성기체소화약제의 개요

할로겐화합물(F, Cl, Br, I) 및 불활성기체(Ar, N_2, CO_2)소화약제는 할로겐화합물(할론 1301, 할론 2402, 할론 1211 제외) 및 불활성기체로서 전기적으로 비전도성이며 휘발성이 있거나 증발 후 잔여물을 남기지 않는 소화약제인데 전기실, 발전실, 전산실 등에 설치한다.

2 약제의 종류

소화약제	화학식
퍼플루오로부탄(이하 "FC-3-1-10"이라 한다)	C_4F_{10}
히드로클로로플루오로카본혼화제(이하 "HCFC BLEND A"라 한다)	HCFC-123($CHCl_2CF_3$) : 4.75[%] HCFC-22($CHClF_2$) : 82[%] HCFC-124($CHClFCF_3$) : 9.5[%] $C_{10}H_{16}$: 3.75[%]
클로로테트라플루오로에탄(이하 "HCFC-124"라 한다)	$CHClFCF_3$
펜타플루오로에탄(이하 "HFC-125"라 한다)	CHF_2CF_3
헵타플루오로프로판(이하 "HFC-227ea"라 한다)	CF_3CHFCF_3
트리플루오로메탄(이하 "HFC-23"이라 한다)	CHF_3
헥사플루오로프로판(이하 "HFC-236fa"라 한다)	$CF_3CH_2CF_3$
트리플루오로이오다이드(이하 "FIC-13 I1"이라 한다)	CF_3I
불연성·불활성기체 혼합가스(이하 "IG-01"이라 한다)	Ar
불연성·불활성기체 혼합가스(이하 "IG-100"이라 한다)	N_2
불연성·불활성기체 혼합가스(이하 "IG-541"이라 한다)	N_2 : 52[%], Ar : 40[%], CO_2 : 8[%]
불연성·불활성기체 혼합가스(이하 "IG-55"라 한다)	N_2 : 50[%], Ar : 50[%]
도데카플루오르-2-메틸펜탄-3-원(이하 "FK-5-1-12"라 한다)	$CF_3CF_2C(O)CF(CF_3)_2$

3 약제의 구비조건

① 독성이 낮고 설계농도는 NOAEL 이하일 것
② 오존파괴지수(ODP), 지구온난화지수(GWP)가 낮을 것
③ 소화효과는 할론소화약제와 유사할 것
④ 비전도성이고 소화 후 증발잔유물이 없을 것
⑤ 저장 시 분해하지 않고 용기를 부식시키지 않을 것

4 소화효과

① 할로겐화합물소화약제 : 질식, 냉각, 부촉매효과
② 불활성기체소화약제 : 질식, 냉각효과

핵/심/예/제

핵심 예제

01 소화약제의 방출수단에 대한 설명으로 가장 옳은 것은? [17년 1회]

① 액체 화학반응을 이용하여 발생되는 열로 방출한다.
② 기체의 압력으로 폭발, 기화작용 등을 이용하여 방출한다.
③ 외기의 온도, 습도, 기압 등을 이용하여 방출한다.
④ 가스압력, 동력, 사람의 손 등에 의하여 방출한다.

해설 소화기, 소화설비는 내부가스압력, 사람의 손(수동기동)에 의하여 방출한다.

02 소화약제로 물을 사용하는 주된 이유는? [18년 1회]

① 촉매역할을 하기 때문에
② 증발잠열이 크기 때문에
③ 연소작용을 하기 때문에
④ 제거작용을 하기 때문에

해설 **물을 소화약제로 사용하는 이유** : 비열과 증발잠열이 크기 때문에

03 물 소화약제를 어떠한 상태로 주수할 경우 전기화재의 진압에서도 소화능력을 발휘할 수 있는가? [19년 2회]

① 물에 의한 봉상주수
② 물에 의한 적상주수
③ 물에 의한 무상주수
④ 어떤 상태의 주수에 의해서도 효과가 없다.

해설 **무상주수** : 물분무 헤드와 같이 안개 또는 구름 모양을 형성하면서 방사되는 것(적용화재 : 일반, 유류, 전기)

1 ④ 2 ② 3 ③ 정답

04 **물의 소화력을 증대시키기 위하여 첨가하는 첨가제 중 물의 유실을 방지하고 건물 임야 등의 입체 면에 오랫동안 잔류하게 하기 위한 것은?** [19년 4회]

① 증점제
② 강화액
③ 침투제
④ 유화제

해설 **증점제** : 물의 점도를 증가시키기 위한 첨가제이며, 물의 유실을 방지하고 건물 등의 입체면에 오랫동안 잔류하기 위한 것

05 **산림화재 시 소화효과를 증대시키기 위해 물에 첨가하는 증점제로서 적합한 것은?** [18년 2회]

① Ethylene Glycol
② Potassium Carbonate
③ Ammonium Phosphate
④ Sodium Carboxy Methyl Cellulose

해설 **산림화재 시 사용되는 증점제** : Sodium Carboxy Cellulose

06 **포소화약제가 갖추어야 할 조건이 아닌 것은?** [18년 1회]

① 부착성이 있을 것
② 유동성과 내열성이 있을 것
③ 응집성과 안정성이 있을 것
④ 소포성이 있고 기화가 용이할 것

해설 **포소화약제의 구비조건**
- 포의 안정성과 응집성이 좋을 것
- 독성이 없고 변질되지 말 것
- 화재면과 부착성이 좋을 것
- 유동성과 내열성이 좋을 것

정답 4 ① 5 ④ 6 ④

핵심예제

07 포소화약제의 적응성이 있는 것은? [18년 2회]

① 칼륨 화재
② 알킬리튬 화재
③ 가솔린 화재
④ 인화알루미늄 화재

해설 **포소화약제** : 제4류 위험물(인화성 액체) 화재 시 적합하며 질식, 냉각의 소화효과가 좋다.

08 포소화약제 중 고팽창포로 사용할 수 있는 것은? [17년 1회]

① 단백포
② 불화단백포
③ 내알코올포
④ 합성계면활성제포

해설 **공기포 소화약제의 혼합비율에 따른 분류**

구 분	약제 종류	약제 농도
저발포용	단백포	3[%], 6[%]
	합성계면활성제포	3[%], 6[%]
	수성막포	3[%], 6[%]
	내알코올용포	3[%], 6[%]
	불화단백포	3[%], 6[%]
고발포용	합성계면활성제포	1[%], 1.5[%], 2[%]

09 수성막포 소화약제의 특성에 대한 설명으로 틀린 것은? [18년 1회]

① 내열성이 우수하여 고온에서 수성막의 형성이 용이하다.
② 기름에 의한 오염이 적다.
③ 다른 소화약제와 병용하여 사용이 가능하다.
④ 불소계 계면활성제가 주성분이다.

해설 **수성막포 특징**

- 내유성과 유동성이 우수하며 방출 시 유면에 얇은 수성막 형성
- 내열성이 약하며, 기름에 의한 오염이 적다.
- 다른 소화약제와 병용하여 사용이 가능하다.
- 불소(플루오린)계 계면활성제가 주성분이다.

7 ③ 8 ④ 9 ① 정답

10 에테르, 케톤, 에스테르, 알데히드, 카르복실산, 아민 등과 같은 가연성인 수용성 용매에 유효한 포소화약제는? [17년 2회, 19년 4회]

① 단백포
② 수성막포
③ 불화단백포
④ 내알코올포

해설 **내알코올포** : 에테르, 케톤, 에스테르 등 수용성 가연물의 소화에 가장 적합한 소화약제(수용성 액체 : 물과 잘 섞이는 액체)

11 이산화탄소의 질식 및 냉각 효과에 대한 설명 중 틀린 것은? [19년 1회]

① 이산화탄소의 증기비중이 산소보다 크기 때문에 가연물과 산소의 접촉을 방해한다.
② 액체 이산화탄소가 기화되는 과정에서 열을 흡수한다.
③ 이산화탄소는 불연성 가스로서 가연물의 연소반응을 방해한다.
④ 이산화탄소는 산소와 반응하며 이 과정에서 발생한 연소열을 흡수하므로 냉각효과를 나타낸다.

해설 **이산화탄소** : 산소와 반응하지 않는 불연성 가스이며 이산화탄소 방출 시 기화열에 의한 냉각효과를 나타낸다.

핵심 예제

12 이산화탄소 소화기의 일반적인 성질에서 단점이 아닌 것은? [21년 2회]

① 밀폐된 공간에서 사용 시 질식의 위험성이 있다.
② 인체에 직접 방출 시 동상의 위험성이 있다.
③ 소화약제의 방사 시 소음이 크다.
④ 전기가 잘 통하기 때문에 전기설비에 사용할 수 없다.

해설 이산화탄소 소화기는 전기부도체이므로 전기화재 소화에 적합하다.

정답 10 ④ 11 ④ 12 ④

13 이산화탄소소화약제의 임계온도로 옳은 것은? [19년 1회]

① 24.4[℃]
② 31.1[℃]
③ 56.4[℃]
④ 78.2[℃]

해설 이산화탄소의 임계온도 : 31.35[℃]

14 이산화탄소에 대한 설명으로 틀린 것은? [20년 1·2회]

① 임계온도는 97.5[℃]이다.
② 고체의 형태로 존재할 수 있다.
③ 불연성가스로 공기보다 무겁다.
④ 드라이아이스와 분자식이 동일하다.

해설 이산화탄소의 물성

구 분	물성치
화학식	CO_2
분자량	44
비중(공기=1)	1.517
삼중점	−56.3[℃](0.42[MPa])
임계온도	31.35[℃]

핵심예제

15 이산화탄소의 물성으로 옳은 것은? [21년 1회]

① 임계온도 : 31.35[°C], 증기비중 : 0.517
② 임계온도 : 31.35[°C], 증기비중 : 1.517
③ 임계온도 : 0.35[°C], 증기비중 : 1.517
④ 임계온도 : 0.35[°C], 증기비중 : 0.517

해설 이산화탄소의 물성

- 임계온도 : 31.35[℃]
- 증기비중 : 1.517

$$\text{증기비중} = \frac{\text{분자량}}{\text{공기의 평균분자량}} = \frac{44}{29} = 1.517$$

정답 13 ② 14 ① 15 ②

16 이산화탄소 20[g]은 몇 [mol]인가? [17년 4회]

① 0.23 ② 0.45
③ 2.2 ④ 4.4

해설

$$\text{mol수} = \frac{W}{M} = \frac{20}{44} = 0.45[\text{g-mol}]$$

$CO_2 = 12 + 16 \times 2 = 44$(분자량)

17 이산화탄소소화약제 저장용기의 설치장소에 대한 설명 중 옳지 않은 것은? [20년 3회]

① 반드시 방호구역 내의 장소에 설치한다.
② 온도의 변화가 적은 곳에 설치한다.
③ 방화문으로 구획된 실에 설치한다.
④ 해당 용기가 설치된 곳임을 표시하는 표지를 한다.

해설 **이산화탄소소화약제의 저장용기 설치 장소**

- 방호구역 외의 장소에 설치할 것. 다만, 방호구역 내에 설치할 경우에는 피난 및 조작이 용이하도록 피난구 부근에 설치하여야 한다.
- 온도가 40[℃] 이하이고, 온도변화가 적은 곳에 설치할 것
- 직사광선 및 빗물이 침투할 우려가 없는 곳에 설치할 것
- 방화문으로 구획된 실에 설치할 것
- 용기의 설치장소에는 해당 용기가 설치된 곳임을 표시하는 표지를 할 것

18 다음 원소 중 수소와의 결합력이 가장 큰 것은? [17년 2회]

① F ② Cl
③ Br ④ I

해설 **할로겐족 원소**

- 소화효과 : F < Cl < Br < I
- 전기음성도, 수소와 결합력 : F > Cl > Br > I

※ 주기가 클수록 결합력이 작다.
F : 2주기, Cl : 3주기, Br : 4주기, I : 5주기

정답 16 ② 17 ① 18 ①

핵심예제

안심Touch

19 다음 원소 중 전기 음성도가 가장 큰 것은? [20년 3회]

① F ② Br
③ Cl ④ I

해설 전기 음성도, 수소와 결합력 : F > Cl > Br > I

20 할로겐원소의 소화효과가 큰 순서대로 배열된 것은? [17년 4회]

① I > Br > Cl > F
② Br > I > F > Cl
③ Cl > F > I > Br
④ F > Cl > Br > I

해설 할로겐원소 소화효과 : I > Br > Cl > F

핵심 예제

21 공기와 할론 1301의 혼합기체에서 할론 1301에 비해 공기의 확산속도는 약 몇 배인가? (단, 공기의 평균분자량은 29, 할론 1301의 분자량은 149이다) [17년 2회, 20년 4회]

① 2.27배 ② 3.85배
③ 5.17배 ④ 6.46배

해설 확산속도는 분자량의 제곱근에 반비례한다$\left(U \propto \frac{1}{M}\right)$.

$$\frac{U_B}{U_A} = \sqrt{\frac{M_A}{M_B}}$$

여기서, U_B : 공기의 확산속도
U_A : 할론 1301의 확산속도
M_B : 공기의 분자량
M_A : 할론 1301의 분자량

$$U_B = U_A \times \sqrt{\frac{M_A}{M_B}} = U_A \times \sqrt{\frac{149}{29}}$$

$\therefore\ U_B \fallingdotseq 2.27 U_A$

19 ① 20 ① 21 ① 정답

22 다음의 소화약제 중 오존파괴지수(ODP)가 가장 큰 것은? [18년 2회]

① 할론 104
② 할론 1301
③ 할론 1211
④ 할론 2402

해설 할론 1301(CF_3Br) : 할론소화약제 중 소화효과가 가장 좋고 독성이 가장 약하고 오존층파괴지수가 가장 크다.

23 할론(Halon) 1301의 분자식은? [17년 1회, 20년 3회]

① CH_3Cl
② CH_3Br
③ CF_3Cl
④ CF_3Br

해설 할론소화약제

구 분 \ 종 류	할론 1301	할론 1211	할론 2402	할론 1011
화학식	CF_3Br	CF_2ClBr	$C_2F_4Br_2$	CH_2ClBr
분자량	148.9	165.4	259.8	129.4

24 분자식이 CF_2BrCl인 할론소화약제는? [21년 1회]

① Halon 1301
② Halon 1211
③ Halon 2402
④ Halon 2021

해설 23번 해설 참조

정답 22 ② 23 ④ 24 ②

핵심예제

안심Touch

25 CF_3Br 소화약제의 명칭을 옳게 나타낸 것은? [19년 1회]

① 할론 1011
② 할론 1211
③ 할론 1301
④ 할론 2402

해설 23번 해설 참조

26 상온, 상압에서 액체인 물질은? [18년 1회, 20년 1·2회]

① CO_2
② Halon 1301
③ Halon 1211
④ Halon 2402

해설 상온, 상압에서 액체상태 : 할론 1011, 할론 2402
기체상태 : 할론 1301, 할론 1211

핵심예제

27 다음 중 증기비중이 가장 큰 것은? [21년 2회]

① Halon 1301
② Halon 2402
③ Halon 1211
④ Halon 104

해설 증기비중 = 분자량/29이므로 분자량이 크면 증기비중이 크다.

종 류	할론 1301	할론 2402	할론 1211	할론 104
분자식	CF_3Br	$C_2F_4Br_2$	CF_2ClBr	CCl_4
분자량	148.9	259.8	165.4	154

25 ③ 26 ④ 27 ② 정답

28 할론소화약제에 관한 설명으로 옳지 않은 것은? [21년 1회]

① 연쇄반응을 차단하여 소화한다.
② 할로겐족 원소가 사용된다.
③ 전기에 도체이므로 전기화재에 효과가 있다.
④ 소화약제의 변질분해 위험성이 낮다.

해설 가스계(이산화탄소, 할론, 할로겐화합물 및 불활성기체) 소화약제는 전기 부도체이다.

29 소화효과를 고려하였을 경우 화재 시 사용할 수 있는 물질이 아닌 것은? [17년 1회, 20년 3회]

① 이산화탄소
② 아세틸렌
③ Halon 1211
④ Halon 1301

해설 아세틸렌(C_2H_2)은 제3류 위험물인 탄화칼슘이 물과 반응할 때 발생하는 가스로서 가연성 가스이다.

30 화재의 소화원리에 따른 소화방법의 적용으로 틀린 것은? [17년 2회, 20년 3회]

① 냉각소화 : 스프링클러설비
② 질식소화 : 이산화탄소소화설비
③ 제거소화 : 포소화설비
④ 억제소화 : 할론소화설비

해설 물

- 봉상주수 : 소화전 } 냉각효과
- 적상주수 : 스프링클러 } 냉각효과
- 무상주수 : 물분무 → 냉각, 질식, 유화, 희석소화

포소화설비 : 질식소화(피복질식)

정답 28 ③ 29 ② 30 ③

핵심예제

31 다음 원소 중 할로겐족 원소인 것은? [20년 1회]

① Ne
② Ar
③ Cl
④ Xe

해설 할로겐족 원소

종 류	불소(F)	염소(Cl)	브롬(Br)	요오드(I)
원자번호	9	17	35	53

32 다음 중 전산실, 통신 기기실 등에서의 소화에 가장 적합한 것은? [19년 1회]

① 스프링클러설비
② 옥내소화전설비
③ 분말소화설비
④ 할로겐화합물 및 불활성기체 소화설비

해설 전산실, 통신 기기실 등의 화재 시 적합한 소화 설비 : 할로겐화합물 및 불활성기체소화설비

33 FM 200이라는 상품명을 가지며 오존파괴지수(ODP)가 0인 할론 대체 소화약제는 무슨 계열인가? [17년 1회]

① HFC계열
② HCFC계열
③ FC계열
④ Blend계열

해설 할로겐화합물 대체 소화약제 : HFC계열

31 ③ 32 ④ 33 ① 정답

34 **할론계 소화약제의 주된 소화효과 및 방법에 대한 설명으로 옳은 것은?** [18년 4회]

① 소화약제의 증발잠열에 의한 소화방법이다.

② 산소의 농도를 15[%] 이하로 낮게 하는 소화방법이다.

③ 소화약제의 열분해에 의해 발생하는 이산화탄소에 의한 소화방법이다.

④ 자유활성기(Free Radical)의 생성을 억제하는 소화방법이다.

해설 할론계 소화약제 주된 소화효과 : 부촉매효과(자유활성기의 생성을 억제), 억제효과

35 **할로겐화합물 및 불활성기체소화약제는 일반적으로 열을 받으면 할로겐족이 분해되어 가연물질의 연소 과정에서 발생하는 활성종과 화합하여 연소의 연쇄반응을 차단한다. 연쇄반응의 차단과 가장 거리가 먼 소화약제는?** [19년 4회]

① FC-3-1-10

② HFC-125

③ IG-541

④ FIC-13I1

해설 할로겐화합물 및 불활성기체소화약제 : 질식, 냉각, 부촉매효과(연쇄반응 차단)
- 퍼플루오로부탄(FC-3-1-10)
- 펜타플루오로에탄(HFC-125)
- 트리플루오로이오다이드(FIC-13I1)

불연성・불활성 기체혼합가스 : 질식, 냉각효과 → IG-541

36 **소화약제인 IG-541의 성분이 아닌 것은?** [20년 3회]

① 질 소

② 아르곤

③ 헬 륨

④ 이산화탄소

해설 소화약제 IG-541 성분
- 질소(N_2) : 52[%]
- 아르곤(Ar) : 40[%]
- 이산화탄소(CO_2) : 8[%]

정답 34 ④ 35 ③ 36 ③

37 IG-541이 15[℃]에서 내용적 50[L] 압력용기에 155[kg_f/cm^2]으로 충전되어 있다. 온도가 30[℃]가 되었다면 IG-541 압력은 약 몇 [kg_f/cm^2]가 되겠는가?(단, 용기의 팽창은 없다고 가정한다) [21년 2회]

① 78
② 155
③ 163
④ 310

해설 $T_1 = 15[℃]$, $V_1 = 50[L]$, $P_1 = 155[kg_f/cm^2]$, 용기의 팽창은 없으므로 $V_1 = V_2$이다.

$T_2 = 30[℃]$, $V_2 = 50[L]$, $P_2 = ?[kg_f/cm^2]$

$$\frac{P_1 V_1}{T_1} = \frac{P_2 V_2}{T_2}$$

$$\frac{155}{273+15} = \frac{P_2}{273+30}$$

$\therefore\ P_2 = 163[kg_f/cm^2]$

핵심 예제

38 소화약제 중 HFC-125의 화학식으로 옳은 것은? [21년 2회]

① CHF_2CF_3
② CHF_3
③ CF_3CHFCF_3
④ CF_3I

해설 HFC-125 : 펜타플루오로에탄

1	2	5
C	H	F
+1	−1	0
C_2	H	F_5

화학식 $C_2HF_5 = CHF_2CF_3$

37 ③ 38 ① 정답

제6절 분말소화약제

1 분말소화약제의 개요

열과 연기가 충만한 장소와 연소 확대위험이 많은 특수대상물에 설치하여 수동, 자동조작에 의해 불연성 가스(N_2, CO_2)의 압력으로 배관 내에 분말소화약제를 압송시켜 고정된 헤드나 노즐로 하여 방호대상물에 소화제를 방출하는 설비로서 가연성 액체의 소화에 효과적이고 전기설비의 화재에도 적합하다.

2 분말소화약제의 성상

(1) 제1종 분말소화약제(탄산수소나트륨, 중탄산나트륨, $NaHCO_3$)

① 제1종 분말의 주성분 : 탄산수소나트륨(중탄산나트륨) + 스테아린산염 또는 실리콘
② 약제의 착색 : 백색
③ 적응화재 : 유류, 전기화재
④ 소화효과 : 질식, 냉각, 부촉매효과
⑤ 식용유화재 : 주방에서 사용하는 식용유화재에서는 가연물과 반응하여 비누화현상을 일으킨다.

> **비누화현상**
> 알칼리의 작용으로 에스테르가 가수분해되어 산의 알칼리염과 알코올이 생성되는 현상

(2) 제2종 분말소화약제(탄산수소칼륨, 중탄산칼륨, $KHCO_3$)

① 제2종 분말의 주성분 : 탄산수소칼륨(중탄산칼륨) + 스테아린산염 또는 실리콘
② 약제의 착색 : 담회색
③ 적응화재 : 유류, 전기화재
④ 소화효과 : 질식, 냉각, 부촉매효과
⑤ 소화능력 : 제1종 분말보다 약 1.67배 크다.

(3) 제3종 분말소화약제(제1인산암모늄, $NH_4H_2PO_4$)

① 제3종 분말의 주성분 : 제일인산암모늄
② 약제의 착색 : 담홍색, 황색
③ 적응화재 : 일반, 유류, 전기화재
④ 소화효과 : 질식, 냉각 부촉매효과
⑤ 소화능력 : 제1종, 제2종 분말보다 20~30[%]가 크다.

(4) 제4종 분말소화약제(탄산수소칼륨 + 요소, $KHCO_3 + (NH_2)_2CO$)

① 제4종 분말의 주성분 : 탄산수소칼륨 + 요소
② 약제의 착색 : 회색
③ 적응화재 : 유류, 전기화재

종 별	주성분	약제의 착색	적응 화재	열분해 반응식
제1종 분말	탄산수소나트륨($NaHCO_3$)	백 색	B, C급	$2NaHCO_3 \rightarrow Na_2CO_3 + CO_2 + H_2O$
제2종 분말	탄산수소칼륨($KHCO_3$)	담회색	B, C급	$2KHCO_3 \rightarrow K_2CO_3 + CO_2 + H_2O$
제3종 분말	제일인산암모늄($NH_4H_2PO_4$)	담홍색, 황색	A, B, C급	$NH_4H_2PO_4 \rightarrow HPO_3 + NH_3 + H_2O$
제4종 분말	탄산수소칼륨 + 요소 [$KHCO_3 + (NH_2)_2CO$]	회 색	B, C급	$2KHCO_3 + (NH_2)_2CO \rightarrow K_2CO_3 + 2NH_3 + 2CO_2$

3 분말소화약제의 품질기준

(1) 분말약제의 입도

분말소화약제의 분말도는 입도가 너무 미세하거나 너무 커도 소화성능이 저하되므로 미세도의 분포가 골고루 되어야 한다.
① 입도가 너무 작아도 커도 좋지 않다.
② 입도는 골고루 분포되어 있어야 한다.

(2) 분말약제의 소화효과 : 질식, 냉각, 부촉매효과(억제효과, 화학소화)

핵/심/예/제

01 탄산수소나트륨이 주성분인 분말소화약제는? [20년 4회]

① 제1종 분말
② 제2종 분말
③ 제3종 분말
④ 제4종 분말

해설 분말소화약제

종 별	주성분	약제의 착색	적응화재	열분해반응식
제1종 분말	탄산수소나트륨 ($NaHCO_3$)	백 색	B, C급	$2NaHCO_3 \rightarrow Na_2CO_3 + CO_2 + H_2O$
제2종 분말	탄산수소칼륨 ($KHCO_3$)	담회색	B, C급	$2KHCO_3 \rightarrow K_2CO_3 + CO_2 + H_2O$
제3종 분말	제일인산암모늄 ($NH_4H_2PO_4$)	담홍색, 황색	A, B, C급	$NH_4H_2PO_4 \rightarrow HPO_3 + NH_3 + H_2O$
제4종 분말	탄산수소칼륨 + 요소 [$KHCO_3 + (NH_2)_2CO$]	회 색	B, C급	$2KHCO_3 + (NH_2)_2CO \rightarrow K_2CO_3 + 2NH_3 + 2CO_2$

02 제1종 분말소화약제의 주성분으로 옳은 것은? [20년 3회]

① $KHCO_3$
② $NaHCO_3$
③ $NH_4H_2PO_4$
④ $Al_2(SO_4)_3$

해설 1번 해설 참조

정답 1 ① 2 ②

03 분말소화약제에 관한 설명 중 틀린 것은? [17년 4회]

① 제1종 분말은 담홍색 또는 황색으로 착색되어 있다.
② 분말의 고화를 방지하기 위하여 실리콘수지 등으로 방습처리한다.
③ 일반화재에도 사용할 수 있는 분말소화약제는 제3종 분말이다.
④ 제2종 분말의 열분해식은 $2KHCO_3 \rightarrow K_2CO_3 + CO_2 + H_2O$이다.

해설 1번 해설 참조

핵심예제

04 $NH_4H_2PO_4$를 주성분으로 한 분말소화약제는 제 몇 종 분말소화약제인가? [20년 1·2회]

① 제1종
② 제2종
③ 제3종
④ 제4종

해설 1번 해설 참조

05 제3종 분말소화약제에 대한 설명으로 틀린 것은? [18년 4회]

① A, B, C급 화재에 모두 적응한다.
② 주성분은 탄산수소칼륨과 요소이다.
③ 열분해 시 발생되는 불연성 가스에 의한 질식효과가 있다.
④ 분말운무에 의한 열방사를 차단하는 효과가 있다.

해설 분말소화약제

종 별	소화약제	약제의 착색	적응화재	열분해반응식
제3종 분말	제일인산암모늄($NH_4H_2PO_4$)	담홍색, 황색	A, B, C급	$NH_4H_2PO_4 \rightarrow HPO_3 + NH_3 + H_2O$

3 ① 4 ③ 5 ② 정답

06 분말소화약제 중 A급, B급, C급 화재에 모두 사용할 수 있는 것은? [18년 2회, 19년 1회]

① Na_2CO_3

② $NH_4H_2PO_4$

③ $KHCO_3$

④ $NaHCO_3$

해설 5번 해설 참조

07 분말소화약제 중 A급, B급, C급 화재에 모두 사용할 수 있는 것은? [21년 2회]

① 제1종 분말

② 제2종 분말

③ 제3종 분말

④ 제4종 분말

해설 5번 해설 참조

08 A급, B급, C급 화재에 사용이 가능한 제3종 분말 소화약제의 분자식은? [17년 1회]

① $NaHCO_3$

② $KHCO_3$

③ $NH_4H_2PO_4$

④ Na_2CO_3

해설 제3종 분말소화약제(제일인산암모늄, $NH_4H_2PO_4$)
① 제1종 분말
② 제2종 분말
③ 제3종 분말

정답 6 ② 7 ③ 8 ③

09 제3종 분말소화약제의 주성분은?

[21년 2회]

① 인산암모늄
② 탄산수소칼륨
③ 탄산수소나트륨
④ 탄산수소칼륨과 요소

해설 8번 해설 참조

10 열분해에 의해 가연물 표면에 유리상의 메타인산 피막을 형성하여 연소에 필요한 산소의 유입을 차단하는 분말약제는?

[20년 4회]

① 요 소
② 탄산수소칼륨
③ 제1인산암모늄
④ 탄산수소나트륨

해설 **제3종 분말소화약제** : 제일인산암모늄
HPO_3(메타인산) 피막을 형성하여 연소에 필요한 산소의 유입 차단

종 별	소화약제	약제의 착색	적응화재	열분해반응식
제3종 분말	제일인산암모늄($NH_4H_2PO_4$)	담홍색, 황색	A, B, C급	$NH_4H_2PO_4 \rightarrow HPO_3 + NH_3 + H_2O$

11 화재 시 소화에 관한 설명으로 틀린 것은?

[17년 4회]

① 내알코올포 소화약제는 수용성용제의 화재에 적합하다.
② 물은 불에 닿을 때 증발하면서 다량이 열을 흡수하여 소화한다.
③ 제3종 분말소화약제는 식용유화재에 적합하다.
④ 할로겐화합물 소화약제는 연쇄반응을 억제하여 소화한다.

해설 제1종 분말소화약제는 주방에서 발생한 식용유화재의 소화 시 가연물과 반응하여 비누화 반응을 일으켜 가연물의 가연성을 억제한다.

정답 9 ① 10 ③ 11 ③

12 분말소화약제 중 탄산수소칼륨($KHCO_3$)과 요소[$CO(NH_2)_2$]와의 반응물을 주성분으로 하는 소화약제는? [17년 1회]

① 제1종 분말
② 제2종 분말
③ 제3종 분말
④ 제4종 분말

해설 분말소화약제

종 별	주성분	약제의 착색	적응화재	열분해반응식
제1종 분말	탄산수소나트륨 ($NaHCO_3$)	백 색	B, C급	$2NaHCO_3 \rightarrow Na_2CO_3 + CO_2 + H_2O$
제2종 분말	탄산수소칼륨 ($KHCO_3$)	담회색	B, C급	$2KHCO_3 \rightarrow K_2CO_3 + CO_2 + H_2O$
제3종 분말	제일인산암모늄 ($NH_4H_2PO_4$)	담홍색, 황색	A, B, C급	$NH_4H_2PO_4 \rightarrow HPO_3 + NH_3 + H_2O$
제4종 분말	탄산수소칼륨 + 요소 [$KHCO_3 + (NH_2)_2CO$]	회 색	B, C급	$2KHCO_3 + (NH_2)_2CO \rightarrow K_2CO_3 + 2NH_3 + 2CO_2$

핵심 예제

13 주성분이 인산염류인 제3종 분말소화약제가 다른 분말소화약제와 다르게 A급 화재에 적용할 수 있는 이유는? [17년 2회]

① 열분해 생성물인 CO_2가 열을 흡수하므로 냉각에 의하여 소화된다.
② 열분해 생성물인 수증기가 산소를 차단하여 탈수작용을 한다.
③ 열분해 생성물인 메타인산(HPO_3)이 산소의 차단 역할을 하므로 소화가 된다.
④ 열분해 생성물인 암모니아가 부촉매작용을 하므로 소화가 된다.

해설 제3종 분말약제는 A, B, C급 화재에 적합하나 열분해 생성물인 메타인산(HPO_3)이 산소의 차단 역할을 하므로 일반화재(A급)에도 적합하다.

$NH_4H_2PO_4 \rightarrow NH_3 + H_2O + HPO_3$

NH_3: 암모니아 (질식), H_2O: (냉각), HPO_3: 메타인산 (방진효과) → 피복(산소와 접촉 차단)

정답 12 ④ 13 ③

핵심예제

14 분말소화약제의 취급 시 주의사항으로 틀린 것은? [19년 2회]

① 습도가 높은 공기 중에 노출되면 고화되므로 항상 주의를 기울인다.
② 충진 시 다른 소화약제와 혼합을 피하기 위하여 종별로 각각 다른 색으로 착색되어 있다.
③ 실내에서 다량 방사하는 경우 분말을 흡입하지 않도록 한다.
④ 분말소화약제와 수성막포를 함께 사용할 경우 포의 소포 현상을 발생시키므로 병용해서는 안 된다.

해설 분말소화약제와 수성막포를 함께 사용할 경우 포의 소포 현상을 발생시키므로 병용해서 사용 가능하다.

15 분말소화약제 분말입도의 소화성능에 관한 설명으로 옳은 것은? [19년 1회]

① 미세할수록 소화성능이 우수하다.
② 입도가 클수록 소화성능이 우수하다.
③ 입도와 소화성능과는 관련이 없다.
④ 입도가 너무 미세하거나 너무 커도 소화성능은 저하된다.

해설 분말소화약제 분말입도가 너무 미세하거나 너무 커도 소화성능이 저하된다.

정답 14 ④ 15 ④

16 소화약제로 사용할 수 없는 것은? [18년 4회]

① $KHCO_3$

② $NaHCO_3$

③ CO_2

④ NH_3

해설 **소화약제**

- $KHCO_3$(탄산수소칼륨) : 제2종 분말소화약제
- $NaHCO_3$(탄산수소나트륨) : 제3종 분말소화약제
- CO_2 : 이산화탄소소화약제

※ NH_3(암모니아) : 냉각매체

17 화재에 관련된 국제적인 규정을 제정하는 단체는? [19년 1회]

① IMO(International Maritime Organization)

② SFPE(Society of Fire Protection Engineers)

③ NFPA(Nation Fire Protection Association)

④ ISO(International Organization for Standardization) TC 92

해설

- IMO : 국제해사기구
- SFPE : 소방기술자협회
- NFPA : 전미방화협회
- ISO : 국제표준화기구 → 모든 나라의 공업규격을 표준화(규격화)

정답 16 ④ 17 ④

MEMO

Engineer Fire Protection System

소방설비기사(필기) 기본서 시리즈

소방원론

최근 기출문제

Engineer Fire
Protection System

소방설비기사(필기) 기본서 시리즈

소방원론

2021년 4회 최근 기출문제

2021년 제4회 최근 기출문제

01 다음 중 피난자의 집중으로 패닉현상이 일어날 우려가 가장 큰 형태는?

① T형
② X형
③ Z형
④ H형

02 연기감지기가 작동할 정도이고 가시거리가 20~30[m]에 해당하는 감광계수는 얼마인가?

① 0.1[m^{-1}]
② 1.0[m^{-1}]
③ 2.0[m^{-1}]
④ 10[m^{-1}]

03 소화에 필요한 CO_2의 이론소화농도가 공기 중에서 37[vol%]일 때 한계산소농도는 약 몇 [vol%]인가?

① 13.2
② 14.5
③ 15.5
④ 16.5

04 건물화재 시 패닉(Panic)의 발생원인과 직접적인 관계가 없는 것은?

① 연기에 의한 시계 제한
② 유독가스에 의한 호흡 장애
③ 외부와 단절되어 고립
④ 불연내장재의 사용

05 소화기구 및 자동소화장치의 화재안전기준에 따르면 소화기구(자동확산소화기는 제외)는 거주자 등이 손쉽게 사용할 수 있는 장소에 바닥으로부터 높이 몇 [m] 이하의 곳에 비치하여야 하는가?

① 0.5
② 1.0
③ 1.5
④ 2.0

06 물리적 폭발에 해당하는 것은?

① 분해 폭발
② 분진 폭발
③ 중합 폭발
④ 수증기 폭발

07 소화약제로 사용되는 이산화탄소에 대한 설명으로 옳은 것은?

① 산소와 반응 시 흡열반응을 일으킨다.
② 산소와 반응하여 불연성 물질을 발생시킨다.
③ 산화하지 않으나 산소와는 반응한다.
④ 산소와 반응하지 않는다.

08 Halon 1211의 화학식에 해당하는 것은?

① CH_2BrCl
② CF_2ClBr
③ CH_2BrF
④ CF_2HBr

09 건축물 화재에서 플래시 오버(Flash Over) 현상이 일어나는 시기는?

① 초기에서 성장기로 넘어가는 시기
② 성장기에서 최성기로 넘어가는 시기
③ 최성기에서 감쇠기로 넘어가는 시기
④ 감쇠기에서 종기로 넘어가는 시기

10 인화칼슘과 물이 반응할 때 생성되는 가스는?

① 아세틸렌
② 황화수소
③ 황 산
④ 포스핀

11 위험물안전관리법령상 자기반응성물질의 품명에 해당하지 않는 것은?

① 니트로화합물
② 할로겐간화합물
③ 질산에스테르류
④ 히드록실아민염류

12 마그네슘의 화재에 주수하였을 때 물과 마그네슘의 반응으로 인하여 생성되는 가스는?

① 산 소
② 수 소
③ 일산화탄소
④ 이산화탄소

13 제2종 분말소화약제의 주성분으로 옳은 것은?

① NaH_2PO_4
② KH_2PO_4
③ $NaHCO_3$
④ $KHCO_3$

14 물과 반응하였을 때 가연성 가스를 발생하여 화재의 위험성이 증가하는 것은?

① 과산화칼슘
② 메탄올
③ 칼 륨
④ 과산화수소

15 물리적 소화방법이 아닌 것은?

① 연쇄반응의 억제에 의한 방법
② 냉각에 의한 방법
③ 공기와의 접촉 차단에 의한 방법
④ 가연물 제거에 의한 방법

16 다음 중 착화온도가 가장 낮은 것은?

① 아세톤
② 휘발유
③ 이황화탄소
④ 벤 젠

17 **화재의 분류방법 중 유류화재를 나타낸 것은?**

① A급 화재
② B급 화재
③ C급 화재
④ D급 화재

18 **소화약제로 사용되는 물에 관한 소화성능 및 물성에 대한 설명으로 틀린 것은?**

① 비열과 증발잠열이 커서 냉각소화 효과가 우수하다.
② 물(15[℃])의 비열은 약 1[cal/g·℃]이다.
③ 물(100[℃])의 증발잠열은 439.6[cal/g]이다.
④ 물의 기화에 의한 팽창된 수증기는 질식소화 작용을 할 수 있다.

19 **다음 중 공기에서의 연소범위를 기준으로 했을 때 위험도(H) 값이 가장 큰 것은?**

① 디에틸에테르
② 수 소
③ 에틸렌
④ 부 탄

20 **조연성 가스로만 나열되어 있는 것은?**

① 질소, 불소, 수증기
② 산소, 불소, 염소
③ 산소, 이산화탄소, 오존
④ 질소, 이산화탄소, 염소

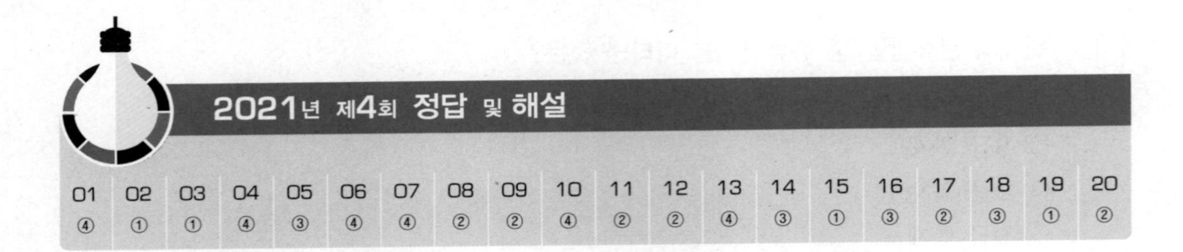

2021년 제4회 정답 및 해설

01	02	03	04	05	06	07	08	09	10	11	12	13	14	15	16	17	18	19	20
④	①	①	④	③	④	④	②	②	④	②	②	④	③	①	③	②	③	①	②

01 피난방향 및 경로

구 분	구 조	특 징
T형		피난자에게 피난경로를 확실히 알려주는 형태
X형		양방향으로 피난할 수 있는 확실한 형태
H형		중앙코어방식으로 피난자의 집중으로 패닉현상이 일어날 우려가 있는 형태
Z형		중앙복도형 건축물에서의 피난경로로서 코어식 중 제일 안전한 형태

02 연기농도와 가시거리

감광계수[m^{-1}]	가시거리[m]	상 황
0.1	20~30	연기감지기가 작동할 때의 정도
0.3	5	건물 내부에 익숙한 사람이 피난에 지장을 느낄 정도
0.5	3	어둠침침한 것을 느낄 정도
1	1~2	거의 앞이 보이지 않을 정도
10	0.2~0.5	화재 최성기 때의 정도

03 이산화탄소의 농도

$$CO_2[\%] = \frac{21 - O_2}{21} \times 100[\%]$$

$$\therefore\ O_2 = \frac{2,100 - (CO_2 \times 21)}{100} = \frac{2,100 - (37 \times 21)}{100}$$

$$= 13.23[\%]$$

04 패닉(Panic)의 발생원인
- 연기에 의한 시계 제한
- 유독가스에 의한 호흡장애
- 외부와 단절되어 고립

05 소화기 설치위치 : 바닥으로부터 1.5[m] 이하

06 물리적인 폭발 : 화산폭발, 진공용기의 과열폭발, 수증기 폭발

07 이산화탄소 : 산소와 반응하지 않는 불연성 가스이며 이산화탄소 방출 시 기화열에 의한 냉각효과를 나타낸다.

08 할론소화약제

구분 \ 종류	할론 1301	할론 1211	할론 2402	할론 1011
분자식	CF_3Br	CF_2ClBr	$C_2F_4Br_2$	CH_2ClBr
분자량	148.9	165.4	259.8	129.4

09 플래시오버(Flash Over) : 화재의 최성기에 돌입하기 전에 다량의 가연성 가스가 동시에 연소되면서 급격한 온도상승을 유발하는 현상

10 물과 반응
- 탄화칼슘 : $CaC_2 + 2H_2O \rightarrow Ca(OH)_2 + C_2H_2\uparrow$ (아세틸렌)
- 탄화알루미늄 : $Al_4C_3 + 12H_2O \rightarrow 4Al(OH)_3 + 3CH_4\uparrow$ (메탄)
- 인화칼슘 : $Ca_3P_2 + 6H_2O \rightarrow 3Ca(OH)_2 + 2PH_3\uparrow$ (포스핀, 인화수소)
- 수소화리튬 : $LiH + H_2O \rightarrow LiOH + H_2\uparrow$ (수소)

11 제5류 위험물

유 별	성 질	품 명		위험등급	지정수량
제5류	자기 반응성 물질	유기과산화물, 질산에스테르류		Ⅰ	10[kg]
		히드록실아민, 히드록실아민염류		Ⅱ	100[kg]
		니트로화합물, 니트로소화합물, 아조화합물, 디아조화합물, 히드라진유도체		Ⅱ	200[kg]
		그 밖에 행정안전부령이 정하는 것	금속의 아지화합물	Ⅱ	200[kg]
			질산구아니딘[$C(NH_2)_3NO_3$]	Ⅱ	200[kg]

12 마그네슘(Mg)이 물과 반응하면 가연성 가스인 수소를 발생한다.
$Mg + 2H_2O \rightarrow Mg(OH)_2 + H_2 \uparrow$

13 분말소화약제

종 별	주성분	약제의 착색	적응 화재
제1종 분말	탄산수소나트륨($NaHCO_3$)	백 색	B, C급
제2종 분말	탄산수소칼륨($KHCO_3$)	담회색	B, C급
제3종 분말	제일인산암모늄($NH_4H_2PO_4$)	담홍색, 황색	A, B, C급
제4종 분말	탄산수소칼륨 + 요소[$KHCO_3 + (NH_2)_2CO$]	회 색	B, C급

14 칼륨(K)은 물과 반응하면 수소가스를 발생하므로 위험하다.
$2K + 2H_2O \rightarrow 2KOH + H_2 \uparrow$

15 소화방법
- 화학적인 소화방법 : 연쇄반응의 억제에 의한 방법
- 물리적인 방법
  - 냉각에 의한 방법
  - 공기와의 접촉 차단에 의한 방법
  - 가연물 제거에 의한 방법

16 착화온도

종 류	아세톤	휘발유	이황화탄소	벤 젠
착화 온도	538[℃]	약 300[℃]	100[℃]	562[℃]

17 화재의 종류

구 분 ＼ 급 수	A급	B급	C급	D급
화재의 종류	일반화재	유류 및 가스화재	전기화재	금속화재
표시색	백 색	황 색	청 색	무 색

18 물이 기화될 때 발생하는 열을 증발잠열이라 하며 539[cal/g]이다.

19 연소범위

종 류	하한값[%]	상한값[%]
에테르($C_2H_5OC_2H_5$)	1.9	48.0
수소(H_2)	4.0	75.0
에틸렌(C_2H_4)	2.7	36.0
부탄(C_4H_{10})	1.8	8.4

위험도

$$위험도(H) = \frac{U-L}{L} = \frac{폭발상한값 - 폭발하한값}{폭발하한값}$$

- 에테르 $H = \frac{48.0 - 1.9}{1.9} = 24.26$
- 수소 $H = \frac{75.0 - 4.0}{4.0} = 17.75$
- 에틸렌 $H = \frac{36.0 - 2.7}{2.7} = 12.33$
- 부탄 $H = \frac{8.4 - 1.8}{1.8} = 3.67$

20 조연성 가스

자신은 연소하지 않고 연소를 도와주는 가스(산소, 공기, 플루오린(불소), 염소 등)

MEMO

소방설비기사 필기 소방원론

초 판 발 행	2022년 03월 10일 (인쇄 2022년 01월 11일)
발 행 인	박영일
책 임 편 집	이해욱
편 저	민병진
편 집 진 행	윤진영 · 김경숙
표지디자인	권은경 · 길전홍선
편집디자인	심혜림 · 조준영
발 행 처	(주)시대고시기획
출 판 등 록	제10-1521호
주 소	서울시 마포구 큰우물로 75 [도화동 538 성지 B/D] 9F
전 화	1600-3600
팩 스	02-701-8823
홈 페 이 지	www.sidaegosi.com
I S B N	979-11-383-1627-9 (14500)
정 가	15,000원

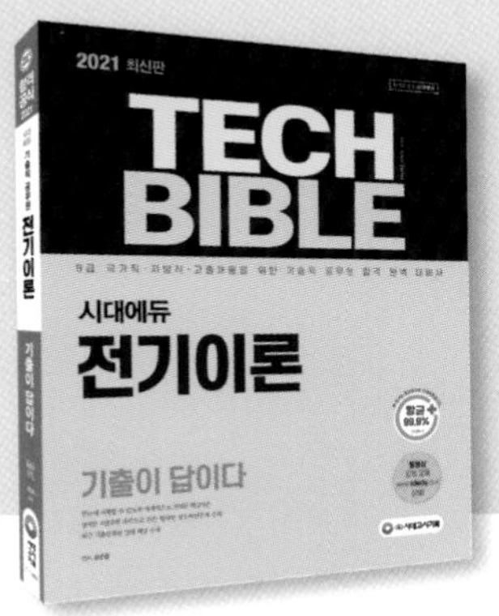

기술직 공무원 전기이론
별판 | 21,000원

기술직 공무원 전기기기
별판 | 21,000원

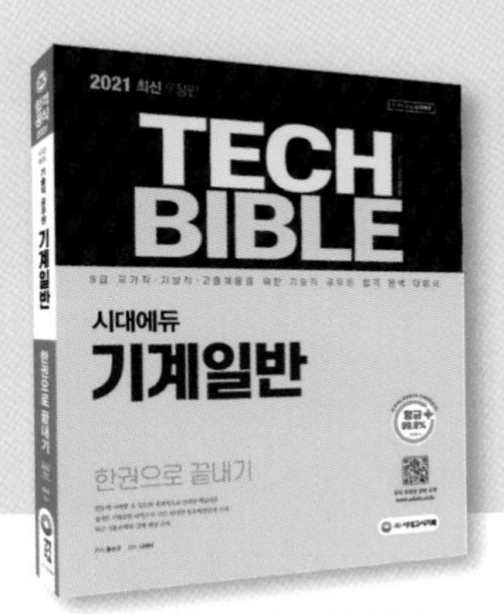

기술직 공무원 기계일반
별판 | 21,000원

기술직 공무원 환경공학개론
별판 | 21,000원

기술직 공무원 재배학개론+식용작물
별판 | 35,000원

기술직 공무원 기계설계
별판 | 21,000원

기술직 공무원 임업경영
별판 | 20,000원

기술직 공무원 조림
별판 | 20,000원

※도서의 이미지와 가격은 변경될 수 있습니다.